Liebe Schylle
viel Vergnügen beim
lesen......
    Deine Sister Luise

Seit dem Tod seiner Frau lebt der alte Antonio José Bolívar allein in einer winzigen Siedlung am Amazonas. Die Einsamkeit vertreibt er sich mit dem Lesen von Liebesromanen, die ihm ein Freund aus der fernen Stadt mitbringt. Als eines Tages die schrecklich zugerichtete Leiche eines Ausländers in einem Kanu antreibt, ist Antonio der einzige, der erkennt, was geschehen ist: Nicht die Indianer haben den Mann getötet, wie alle glauben, sondern ein Ozelot, dessen Junge er umgebracht hat. Da Antonio dank seiner Freundschaft mit den Indios den Dschungel kennt wie kein anderer, wird er gezwungen, die Jagd auf das gefährliche Tier aufzunehmen. Der Kampf zwischen Mensch und Natur gipfelt in einem dramatischen Finale.

*Luis Sepúlveda,* 1949 in Chile geboren, mußte wegen seines politischen Engagements seine Heimat verlassen und lebte u. a. über zehn Jahre in Deutschland im Exil. Er arbeitete als Journalist und für die UNESCO, heute lebt er in Spanien. Sein Werk wurde in zahlreiche Sprachen übersetzt.

# Luis Sepúlveda

# Der Alte, der Liebesromane las

Roman

Aus dem chilenischen Spanisch
von Gabriela Hofmann-Ortega Lleras

Deutscher Taschenbuch Verlag

Titel der Originalausgabe:
›Un viejo que leía novelas de amor‹

**Ausführliche Informationen über
unsere Autoren und Bücher
finden Sie auf unserer Website
www.dtv.de**

9. Auflage 2013
2002 Deutscher Taschenbuch Verlag GmbH & Co. KG,
München
© 1989 Luis Sepúlveda
© 2000 der deutschsprachigen Ausgabe:
Carl Hanser Verlag München
Umschlagkonzept: Balk & Brumshagen
Umschlagfoto: Fildebroc/France 2 Cinéma/Sociedad Kino Vision/The Old
Man CV-Odusseia Films/Magnetic Hall Pty Ltd/Graham Hobbs, Ian Tre-
gonning, Tavern 21 Pty Ltd
Gesetzt aus der Bembo 10/12·
Gesamtherstellung: Druckerei C. H. Beck, Nördlingen
Gedruckt auf säurefreiem, chlorfrei gebleichtem Papier
Printed in Germany· ISBN 978-3-423-12997-8

Als dieser Roman in Oviedo von den Mitgliedern der Jury gelesen wurde, die ihm wenige Tage später den Literaturpreis Tigre Juan zusprach, geschah es, daß viele Tausende von Kilometern entfernt eine Bande von Mördern, bewaffnet und bezahlt von noch größeren Verbrechern, solchen mit gutsitzenden Anzügen und gepflegten Fingernägeln, die im Namen des »Fortschritts« zu handeln vorgeben, das Leben eines der größten Kämpfer für Amazonien und einer der herausragendsten und konsequentesten Persönlichkeiten der Internationalen Ökologiebewegung schmählich auslöschten.

Dieser Roman wird nun nicht mehr in Deine Hände gelangen, Chico Mendes, geliebter Freund weniger Worte und vieler Taten, und doch kommt der Preis Tigre Juan auch Dir zu, Dir und all jenen, die Deinen Weg fortsetzen werden, unseren gemeinsamen Weg zum Schutz dieser einen, einzigen Welt.

*Der Autor*

Meinem fernen Freund Miguel Tzenke, Shuara-Syndikus vom Shumbi am oberen Nangaritza und großer Kämpfer für Amazonien.

In einer Nacht voll zauberhafter Erzählungen gab er so manche Einzelheit seiner unbekannten grünen Welt an mich weiter, was mir später an anderen Orten, weit weg vom äquatorialen Eden, helfen sollte, dieser Geschichte ihre Gestalt zu geben.

*Der Autor*

# EINS

Der Himmel war ein aufgeblähter Eselsbauch, der bedrohlich nur wenige Handbreit über den Köpfen hing. Der laue, klebrige Wind fegte einige lose Blätter umher und rüttelte heftig an den kümmerlichen Bananenbäumen, die die Vorderseite des Bürgermeisteramtes schmückten.

Die wenigen Einwohner von El Idilio und eine Handvoll Abenteurer aus den umliegenden Gegenden waren auf dem Bootssteg zusammengekommen und warteten, bis sie an der Reihe waren, sich in den tragbaren Stuhl von Doktor Rubicundo Loachamín zu setzen, dem Zahnarzt, der die Schmerzen seiner Patienten mittels einer merkwürdigen Art mündlicher Anästhesie linderte.

»Tut's weh?« fragte er.

Die Patienten klammerten sich seitlich am Stuhl fest und antworteten, indem sie die Augen weit aufrissen und schweißgebadet dasaßen.

Manche versuchten, die unverschämten Hände des Zahnarztes aus ihrem Mund zu entfernen und ihm die passende Antwort zu geben, aber ihre Absichten prallten auf die kräftigen Arme und die autoritäre Stimme des Odontologen.

»Halt still, verdammt! Nimm die Hände weg! Ich weiß schon, daß es weh tut. Und wer ist schuld daran? Na? Ich vielleicht? Die Regierung! Bring das mal in deinen Schädel rein. Die Regierung ist schuld an deinen faulen Zähnen. Die Regierung ist schuld, daß es dir weh tut.«

Die Gepeinigten pflichteten dann bei, indem sie die Augen schlossen oder leicht mit dem Kopf nickten.

Doktor Loachamín haßte die Regierung. Jegliche Regierung. Als unehelicher Sohn eines iberischen Auswanderers hatte er von diesem einen furchtbaren Groll auf alles, was nach Autorität klang, geerbt. Aber die Gründe für diesen Haß waren ihm auf irgendeiner Sauftour in seiner Jugend abhanden gekommen, so daß sich sein anarchistisches Gerede in eine Art moralische Warze verwandelt hatte, die ihn sympathisch machte.

Er wetterte gegen die amtierenden Regierungen genauso wie gegen die Gringos, die manchmal von den Erdölförderanlagen vom Coca herüberkamen, schamlose Fremde, die ohne zu fragen die offenen Münder seiner Patienten fotografierten.

Ganz in der Nähe verlud die kleine Besatzung der »Sucre« Stauden grüner Kochbananen und Säcke mit Kaffeebohnen.

Seitlich des Bootsstegs stapelten sich die Kisten mit Bier, »Frontera«-Schnaps und Salz und die Gasflaschen, die sie zuvor ausgeladen hatten.

Die »Sucre« würde auslaufen, sobald der Zahnarzt mit den Kieferreparaturen fertig wäre, sie würde den Nangaritza aufwärts fahren, der später in den Zamora mündete, und nach vier Tagen langsamer Fahrt würde sie den Flußhafen von El Dorado anlaufen.

Das Schiff, ein alter schwimmender Kasten, der von der Entschlossenheit seines Kapitäns und Mechanikers, der Anstrengung zweier stämmiger Männer, die die Besatzung ausmachten, und der schwindsüchtigen Willenskraft eines alten Dieselmotors angetrieben wurde, würde nicht vor Ende der Regenzeit, die sich mit dem bedeckten Himmel ankündigte, zurückkehren.

Doktor Rubicundo Loachamín besuchte El Idilio zweimal im Jahr, wie es auch der Briefträger tat, der jedoch selten Post für einen der Einwohner dabeihatte. Aus seiner abgewetzten Tasche kamen nur offizielle, an den Bürgermeister adressierte

Papiere oder die ernsten und von der Feuchtigkeit ausgebleichten Porträts der amtierenden Machthaber zum Vorschein.

Die Leute erwarteten die Ankunft des Schiffes ohne eine andere Hoffnung als die, ihre Vorräte an Salz, Gas, Bier und Schnaps wieder aufgestockt zu sehen; den Zahnarzt empfingen sie allerdings mit Erleichterung, besonders die Überlebenden der Malaria, die es satt hatten, die Überreste ihrer Zähne auszuspucken, und sich nach einem Mund ohne Splitter sehnten, um eine der Prothesen probieren zu können, die auf einer violetten, entschieden an einen Kardinal gemahnenden Tischdecke aufgereiht waren.

Während der Zahnarzt auf die Regierung schimpfte, säuberte er das Zahnfleisch von den letzten Zahnresten und ordnete sogleich eine Mundspülung mit Schnaps an.

»Also, mal sehen. Wie paßt die hier? «

»Die drückt. Ich kann den Mund nicht zumachen.«

»Scheiße! Was für empfindliche Kerle ihr doch seid. Dann probier eine andere.«

»Die sitzt zu locker. Die fällt mir raus, wenn ich niese.«

»Was mußt du dich auch erkälten, du Idiot. Mach den Mund auf.«

Und sie gehorchten ihm.

Nachdem sie verschiedene Gebisse probiert hatten, nahmen sie das bequemste und handelten den Preis aus, während der Zahnarzt die übrigen Prothesen in einen Topf mit abgekochtem Chlor tauchte, um sie zu desinfizieren.

Der tragbare Sessel von Doktor Rubicundo Loachamín war für die Uferbewohner der Flüsse Zamora, Yacuambi und Nangaritza eine Institution.

Eigentlich handelte es sich um einen alten Barbierstuhl mit weiß emailliertem Gestell. Der tragbare Stuhl, den der Kapitän und die Besatzung der »Sucre« nur mit vereinten Kräften hochheben konnten, war auf einem quadratmetergroßen Podest festgemacht, das der Zahnarzt »die Praxis« nannte.

»In der Praxis bin ich der Chef, zum Donnerwetter. Hier wird gemacht, was ich sage. Wenn ich runterkomme, könnt ihr mich meinetwegen Zahnklempner, Quacksalber oder Kurpfuscher nennen oder was euch sonst noch so einfällt, und vielleicht trinke ich sogar einen Schnaps mit euch.«

Diejenigen, die warteten, bis sie an die Reihe kamen, machten ein überaus leidendes Gesicht, und wer schon mit den Zangen in Berührung gekommen war, sah auch nicht besser aus.

Die einzigen, die in der Nähe der Praxis lächelten, waren die Jíbaros, die auf ihren Fersen hockten und zusahen.

Die Jíbaros. Indianer, die von ihrem eigenen Stamm, den Shuara, verstoßen worden waren, da man meinte, die Gewohnheiten der »Apaches«, der Weißen, hätten sie erniedrigt und verdorben.

Die Jíbaros, in weiße Lumpen gekleidet, duldeten widerspruchslos den Spottnamen, den ihnen die spanischen Eroberer angehängt hatten.

Es bestand ein gewaltiger Unterschied zwischen einem stolzen, hochmütigen Shuara, dem Kenner der verborgenen Regionen des Amazonasgebietes, und jenen Jíbaros, die am Bootssteg von El Idilio zusammenkamen und auf einen Schluck Schnaps hofften.

Die Jíbaros grinsten und zeigten dabei ihre spitzen, mit Flußsteinen geschärften Zähne.

»Und ihr? Was zum Teufel gafft ihr so? Eines Tages fallt ihr mir auch noch in die Hände, ihr Affen«, drohte ihnen der Zahnarzt.

Als die Jíbaros sich angesprochen fühlten, antworteten sie glücklich: »Jíbaro gute Zähne haben. Jíbaro viel Fleisch von Affen essen.«

Manchmal verscheuchte ein Patient mit seinem Geheul die Vögel und schlug die Zangen mit der einen Hand fort und führte die andere zum Griff der Machete.

»Benimm dich wie ein Mann, du Schlappschwanz. Ich weiß, daß es weh tut, und ich hab dir auch gesagt, wessen Schuld das ist. Was drohst du mir also. Sitz still und zeig, daß du keine Memme bist.«

»Sie reißen mir ja die Seele raus, Doktor. Lassen Sie mich erst noch einen Schluck nehmen.«

Der Zahnarzt seufzte auf, nachdem er den letzten Leidenden behandelt hatte. Er wickelte die Prothesen, die keinen Abnehmer gefunden hatten, in die Kardinalstischdecke, und während er die Instrumente desinfizierte, sah er das Kanu eines Shuara vorbeigleiten.

Der Indianer stand am hinteren Ende des schmalen Boots und ruderte gleichmäßig. Als er in die Nähe der »Sucre« kam, tat er zwei Ruderschläge, die das Kanu neben dem Schiff zu liegen brachten.

An der Reling erschien die verdrießliche Gestalt des Kapitäns. Der Shuara erklärte ihm etwas mit Händen und Füßen und spuckte fortwährend aus.

Der Zahnarzt trocknete die letzten Instrumente ab und legte sie in ein Lederetui. Dann nahm er das Gefäß mit den gezogenen Zähnen und warf sie ins Wasser.

Der Kapitän und der Shuara kamen auf dem Weg zum Bürgermeisteramt bei ihm vorbei.

»Wir müssen warten, Doktor. Sie bringen einen toten Gringo.«

Die Neuigkeit erfreute ihn nicht gerade. Die »Sucre« war ein unbequemes Gefährt, besonders auf den Rückfahrten, wenn sie mit Kochbananen und Säcken voll halbverfaultem Spätkaffee beladen war.

Wenn es vor der Zeit zu regnen begann, womit zu rechnen war, da das Schiff aufgrund verschiedener Pannen schon mit einer Woche Verspätung fuhr, dann müßte man Ladung, Passagiere und Besatzung unter einer Plane unterbringen, die nicht genügend Platz für die Hängematten bot. Und wenn zu all dem noch ein Toter kam, würde die Reise doppelt unbequem werden.

Der Zahnarzt half mit, den tragbaren Stuhl an Bord zu bringen und ging dann zum anderen Ende des Bootsstegs. Dort wartete Antonio José Bolívar Proaño auf ihn, ein Alter mit zähem Körper, den es anscheinend nicht störte, die Namen so vieler Befreiungskämpfer zu tragen.

»Du lebst immer noch, Antonio José Bolívar?«

Bevor er antwortete, roch der Alte an seinen Achseln.

»Scheint so. Ich stinke noch nicht. Und Sie?«

»Was machen deine Zähne?«

»Hier sind sie«, antwortete der Alte und griff mit einer Hand in seine Tasche. Er schlug ein ausgebleichtes Taschentuch auseinander und zeigte ihm die Prothese.

»Und warum trägst du sie nicht, alter Trottel?«

»Gleich. Ich hab weder gegessen noch geredet. Warum sollte ich sie dann abnutzen?«

Der Alte setzte das Gebiß ein, schnalzte mit der Zunge, spuckte kräftig aus und reichte ihm die Frontera-Flasche.

»Also gut. Ich glaub, ich hab mir einen Schluck verdient.«

»Na und ob. Heute haben Sie siebenundzwanzig ganze Zähne und eine Menge Trümmer gezogen. Den Rekord haben Sie allerdings nicht gebrochen.«

»Zählst du immer noch mit?«

»Dafür sind Freunde doch da: um sich über die Leistungen des anderen zu freuen. Früher war es besser, finden Sie nicht? Als noch junge Siedler kamen. Erinnern Sie sich an diesen Montuvier, der sich alle Zähne ziehen ließ, um eine Wette zu gewinnen?«

Doktor Rubicundo Loachamín neigte den Kopf zur Seite, um die Erinnerungen zu ordnen, und gelangte so zum Bild des nicht mehr jungen, nach montuvischem Brauch gekleideten Mannes. Ganz in Weiß, barfuß, aber mit silbernen Sporen.

Der Montuvier kam in Begleitung von ungefähr zwanzig Kerlen, die alle stark betrunken waren, zur Praxis. Es waren umherziehende Goldsucher. Man nannte sie Pilger, und es war ihnen egal, ob sie das Gold in den Flüssen oder in den Satteltaschen ihrer Mitmenschen fanden. Der Montuvier ließ sich in den Stuhl fallen und sah ihn mit blödem Gesichtsausdruck an.

»Was gibt's?«

»Ziehen Sie sie mir alle. Einen nach dem anderen, und legen Sie sie hierher auf den Tisch.«

»Mach den Mund auf.«

Der Mann gehorchte, und der Zahnarzt stellte fest, daß er außer den Ruinen der Backenzähne noch viele, teils angefaulte, teils gesunde Zähne hatte.

»Du hast noch eine gute Handvoll. Hast du überhaupt genug Geld, um dir so viele ziehen zu lassen?«

Der Mann gab seinen blödsinnigen Gesichtsausdruck auf.

»Das ist nämlich so, Doktor, die Kumpel hier glauben nicht, daß ich ein ganzer Mann bin. Das ist nämlich so, ich hab ihnen gesagt, daß ich mir alle Zähne ziehen lasse, einen nach dem anderen, ohne zu jammern. Das ist nämlich so, wir haben gewettet, und Sie und ich, wir machen dann fifty-fifty mit dem Gewinn.«

»Beim zweiten, den man dir zieht, scheißt du dir in die Hosen und schreist nach deiner Mama«, rief einer aus der Gruppe, und die übrigen brachen in schallendes Gelächter aus.

»Geh lieber einen trinken und überleg's dir noch mal. Für so einen Blödsinn gebe ich mich nicht her«, sagte der Zahnarzt.

»Das ist nämlich so, Doktor: wenn Sie mich meine Wette nicht gewinnen lassen, dann hacke ich Ihnen den Kopf ab mit dem, was ich hier dabeihabe.«

Die Augen des Montuviers blitzten auf, als er den Griff seiner Machete streichelte.

So also galt die Wette.

Der Mann öffnete den Mund, und der Zahnarzt zog erneut Bilanz. Es waren fünfzehn Zähne, und als er ihm das sagte, reihte der Herausforderer fünfzehn Goldkörner auf die Kardinalstischdecke der Prothesen, eines für jeden Zahn, und die Wettenden, für oder gegen ihn, deckten die Wetten mit weiteren Goldkörnern. Ab dem fünften wuchs die Anzahl beträchtlich.

Der Montuvier ließ sich die ersten sieben Zähne ziehen, ohne mit der Wimper zu zucken. Man hörte nicht einmal eine Fliege summen. Als der achte gezogen wurde, trat eine Blutung ein, die ihm innerhalb von Sekunden den Mund füllte. Der Mann brachte kein Wort heraus, gab aber das Zeichen für eine Pause.

Er spuckte mehrmals aus, so daß sich das Podest mit Blutklumpen bedeckte. Dann nahm er einen kräftigen Schluck, worauf er sich vor Schmerz auf dem Stuhl wand, gab aber keinen Laut von sich. Als er noch einmal ausgespuckt hatte, gab er das Zeichen zum Weitermachen.

Nach dem Schlachtfest, zahnlos und mit einem bis zu den Ohren geschwollenen Gesicht, zeigte der Montuvier einen grauenvollen Ausdruck des Triumphs, als er den Gewinn mit dem Zahnarzt teilte.

»Ja. Das waren noch Zeiten«, murmelte der Doktor Loachamín und nahm einen tüchtigen Schluck.

Der Zuckerrohrschnaps brannte ihm in der Kehle, und er gab die Flasche mit einer Grimasse zurück.

»Schneiden Sie nicht so ein Gesicht, Doktor. Das Zeug hier bringt die Würmer in den Gedärmen um«, sagte Antonio José Bolívar, kam aber nicht dazu, weiterzusprechen.

Zwei Kanus näherten sich. In einem von ihnen war der ruhende Kopf eines blonden Mannes zu erkennen.

# Zwei

Der Bürgermeister, einziger Staatsbeamter, höchste Autorität und Stellvertreter einer zu fernen Macht, um Furcht einzuflößen, war ein übergewichtiges Subjekt, das ununterbrochen schwitzte.

Die Dorfbewohner sagten, seine Schwitzerei habe angefangen, kaum daß er von der »Sucre« an Land gegangen war, und seitdem hätte er nicht aufgehört, Taschentücher auszuwringen, was ihm den Spitznamen Schleimschnecke eingebracht hatte.

Man munkelte auch, daß er, bevor er nach El Idilio kam, ein Amt in einer großen Stadt in den Bergen innegehabt hatte und daß man ihn wegen Veruntreuung in diesen gottverlassenen Winkel strafversetzt hatte.

Er schwitzte, und seine zweite Beschäftigung bestand darin, den Biervorrat zu verwalten. Er saß in seinem Amtszimmer und trank die Flaschen bedächtig aus, in kleinen Schlucken, denn er wußte, daß die Wirklichkeit noch entmutigender aussehen würde, sobald der Vorrat aufgebraucht war.

Wenn das Glück auf seiner Seite war, konnte es vorkommen, daß er durch den Besuch eines gut mit Whisky eingedeckten Gringos für die Trockenzeit entschädigt wurde. Der Bürgermeister trank nie Schnaps wie die übrigen Dorfbewohner. Er behauptete, daß er vom Frontera Alpträume bekäme, und lebte in ständiger Angst vor dem Gespenst des Wahnsinns.

Seit unbestimmter Zeit lebte er mit einer Indianerin zusammen, die er beschuldigte, ihn verhext zu haben, und die er brutal schlug; und alle warteten darauf, daß die Frau ihn umbrachte. Man schloß sogar Wetten darauf ab.

Seit seiner Ankunft vor sieben Jahren hatte er sich den Haß aller zugezogen.

Er war mit der fixen Idee angekommen, unsinnige Steuern einzutreiben. Er hegte die Absicht, in einem unregierbaren Gebiet Angel- und Jagdscheine zu verkaufen. Von den Holzsammlern, die in einem Urwald, der älter war als alle Staaten, feuchtes Holz sammelten, wollte er für den Nießbrauch kassieren, und in einem Anfall staatsbürgerlichen Diensteifers ließ er eine Schilfhütte bauen, um darin die Betrunkenen einzusperren, die sich weigerten, ihre Strafen wegen Erregung öffentlichen Ärgernisses zu begleichen.

Seine Gegenwart rief verächtliche Blicke hervor, und sein Schweiß düngte den Haß der Dorfbewohner.

Der vorhergehende Würdenträger hingegen war ein beliebter Mann gewesen. Leben und leben lassen war sein Motto. Ihm hatten sie die Besuche des Schiffes, der Post und des Zahnarztes zu verdanken, aber er blieb nicht lange im Amt.

Eines Nachmittags war er mit einigen Goldsuchern in Streit geraten, und zwei Tage später fand man ihn, den Kopf von Macheteschlägen gespalten und von den Ameisen schon halb aufgefressen.

El Idilio blieb ein paar Jahre ohne eine Amtsperson, die die ecuadorianische Landeshoheit dieses grenzenlosen Urwalds gehütet hätte, bis die Zentralgewalt schließlich den Gestraften schickte.

Jeden Montag – er war besessen von den Montagen – sah man ihn an einem Pfosten des Bootsstegs die Fahne hissen, bis eines Tages ein Unwetter den Fetzen mit sich in den Urwald riß und mit ihm das Wissen um die Montage, die niemanden kümmerten.

Der Bürgermeister traf am Landungssteg ein. Er wischte

sich mit einem Taschentuch Gesicht und Hals ab. Dann drückte er es aus und befahl, die Leiche an Land zu bringen.

Es handelte sich um einen jungen Mann, nicht älter als vierzig, blond und von kräftigem Körperbau.

»Wo habt ihr ihn gefunden?«

Die Shuara sahen einander an und zögerten mit der Antwort.

»Verstehen diese Wilden kein Spanisch?« knurrte der Bürgermeister.

Einer der Indianer beschloß zu antworten.

»Flußaufwärts. Zwei Tage von hier.«

»Laßt mich die Wunde sehen«, befahl der Bürgermeister.

Der zweite Indianer bewegte den Kopf des Toten. Die Insekten hatten sein rechtes Auge aufgefressen, das linke glänzte noch blau. Der Körper wies eine Rißwunde auf, die am Kinn begann und bis zur rechten Schulter reichte. Aus der Wunde schauten Arterienstücke und einige weißliche Maden heraus.

»Ihr habt ihn umgebracht.«

Die Shuara wichen zurück.

»Nein. Shuara nicht töten.«

»Lügt nicht. Ihr habt ihn mit einem Macheteschlag erledigt. Das sieht man doch.«

Der schwitzende Dicke zog seinen Revolver und richtete ihn auf die überraschten Indianer.

»Nein. Shuara nicht töten«, wagte der, der zuvor gesprochen hatte, zu wiederholen. Der Bürgermeister brachte ihn durch einen Schlag mit dem Revolvergriff zum Schweigen.

Ein dünner Blutfaden rann über die Stirn des Shuara.

»Mich könnt ihr nicht für dumm verkaufen. Ihr habt ihn umgebracht. Los, vorwärts. Im Bürgermeisteramt werdet ihr mir den Grund verraten. Bewegt euch, ihr Wilden. Und Sie Kapitän, Sie richten sich darauf ein, zwei Gefangene mit dem Schiff mitzunehmen.«

Der Kapitän der »Sucre« antwortete bloß mit einem Schulterzucken.

»Verzeihen Sie. Da sind Sie auf dem Holzweg. Diese Wunde ist nicht von einer Machete«, ließ sich die Stimme von Antonio José Bolívar vernehmen.

Der Bürgermeister drückte wütend sein Taschentuch aus.

»Und du, was weißt du denn?«

»Ich weiß, was ich sehe.«

Der Alte trat näher an die Leiche heran, bückte sich, bewegte ihren Kopf und öffnete die Wunde mit den Fingern.

»Sehen Sie die unterschiedlichen Schnitte? Sehen Sie, wie sie am Kiefer tiefer sind und nach unten hin flacher werden? Sehen Sie, daß es nicht eine Wunde ist, sondern vier?«

»Was zum Teufel willst du damit sagen?«

»Daß es keine Machete mit vier Klingen gibt. Prankenhieb. Das ist der Prankenhieb eines Ozelots. Ein ausgewachsenes Tier hat ihn getötet. Kommen Sie. Riechen Sie.«

Der Bürgermeister wischte sich mit dem Taschentuch über den Nacken.

»Riechen? Ich sehe auch so, daß er verwest.«

»Bücken Sie sich und riechen Sie. Sie brauchen keine Angst vor dem Toten und vor den Würmern zu haben. Riechen Sie: die Kleidung, das Haar, alles.«

Der Dicke überwand den Ekel, bückte sich und schnupperte wie ein ängstlicher Hund, ohne allzu nah heranzugehen.

»Nach was riecht das?« fragte der Alte.

Einige Gaffer näherten sich, um ebenfalls an der Leiche zu schnuppern.

»Ich weiß nicht. Woher soll ich das wissen. Nach Blut, nach Maden«, antwortete der Bürgermeister.

»Es stinkt nach Katzenpisse«, sagte einer von den Gaffern.

»Nach der Pisse eines Katzenweibchens. Eines großen Katzenweibchens«, präzisierte der Alte.

»Das beweist noch lange nicht, daß die da ihn nicht umgebracht haben.«

Der Bürgermeister versuchte, seine Autorität wiederherzustellen, aber die ganze Aufmerksamkeit der Dorfbewohner richtete sich auf Antonio José Bolívar.

Der Alte fuhr fort, die Leiche zu untersuchen.

»Ein Weibchen hat ihn getötet. Das Männchen muß noch irgendwo herumlaufen, möglicherweise verwundet. Das Weibchen hat ihn getötet und dann gleich angepißt, um ihn zu markieren, damit die anderen Tiere ihn nicht auffressen, solange sie das Männchen sucht.«

»Dummes Gerede. Diese Wilden haben ihn umgebracht und dann mit Katzenpisse bespritzt. Ihr schluckt aber auch jeden Blödsinn«, erklärte der Bürgermeister.

Die Eingeborenen wollten widersprechen, aber die auf sie gerichtete Mündung war ein unmißverständlicher Befehl zu schweigen.

»Und warum sollten sie das tun?« griff der Zahnarzt ein.

»Warum? Mich wundert, daß Sie das fragen, Doktor. Um ihn auszurauben natürlich. Was für einen Grund sollten sie sonst haben? Diese Wilden machen doch vor nichts halt.«

Der Alte schüttelte verärgert den Kopf und schaute den Zahnarzt an. Dieser begriff, was Antonio José Bolívar vorhatte, und half ihm, die Habe des Toten auf den Brettern des Bootsstegs auszubreiten.

Eine Armbanduhr, ein Kompaß, eine Brieftasche mit Geld, ein Benzinfeuerzeug, ein Jagdmesser, eine silberne Kette mit dem Abbild eines Pferdekopfes. Der Alte sprach mit einem der Shuara in dessen Sprache, worauf der Eingeborene in das Kanu sprang und ihm einen Rucksack aus grünem Drillich reichte.

Als sie ihn öffneten, fanden sie Gewehrpatronen und fünf sehr kleine Ozelotfelle. Gefleckte Katzenfelle, nicht größer als eine Hand. Sie waren mit Salz bestreut und stanken, wenn auch nicht so sehr wie der Tote.

»Na also, Exzellenz. Mir scheint, der Fall ist gelöst«, sagte der Zahnarzt.

Der Bürgermeister, der nicht aufhörte zu schwitzen, schaute nacheinander die Shuara, den Alten, die Dorfbewohner und den Zahnarzt an und wußte nicht, was er sagen sollte.

Sobald die Indianer die Felle sahen, wechselten sie aufgeregte Worte und sprangen in die Kanus.

»Halt! Ihr bleibt hier, bis ich etwas anderes sage«, befahl der Dicke.

»Lassen Sie sie gehen. Sie haben gute Gründe. Oder verstehen Sie etwa immer noch nicht?«

Der Alte sah den Bürgermeister an und schüttelte den Kopf. Plötzlich nahm er eins der Felle und warf es ihm zu. Der schwitzende Dicke fing es mit einem Ausdruck des Ekels auf.

»Denken Sie nach, Mann. So viele Jahre hier und immer noch nichts gelernt. Denken Sie nach. Dieser Hurensohn von einem Gringo hat die Jungtiere getötet und mit Sicherheit das Männchen verwundet. Schauen Sie sich den Himmel an, es wird jeden Augenblick regnen. Stellen Sie sich vor: Das Weibchen muß auf Jagd gegangen sein, um sich den Bauch vollzuschlagen und dann die Jungen während der ersten Regenwochen säugen zu können. Die Jungen waren noch nicht entwöhnt, und das Männchen blieb bei ihnen, um auf sie aufzupassen. So ist das bei den Tieren, und so muß der Gringo sie überrascht haben. Jetzt läuft die Katze rasend vor Schmerz in der Gegend herum. Jetzt ist sie auf Menschenjagd. Es muß ein leichtes für sie gewesen sein, die Spur des Gringos zu verfolgen. Der Unselige trug den Milchgeruch, den sie witterte, auf seinem Rücken. Sie hat bereits einen Menschen getötet. Sie hat bereits Menschenblut geleckt, und für ihren kleinen Tierverstand sind alle Menschen die Mörder ihres Wurfes, für sie haben wir alle den gleichen Geruch. Lassen Sie die Shuara gehen. Sie müssen ihr Dorf und die Umgebung warnen. Die Katze wird mit jedem Tag verzweifelter und gefährlicher werden, und sie wird in der Nähe der Siedlungen Blut suchen. Verdammter Hurensohn von einem Gringo. Sehen Sie sich die Felle an. Klein, unbrauchbar. So kurz vor der Regenzeit jagen, und auch noch mit dem Gewehr! Schauen Sie, wie viele Löcher da drin sind. Verstehen Sie endlich? Sie beschuldigen die Shuara, und nun stellt sich heraus, daß der Gringo der Verbrecher ist. Jagt in der Schonzeit, und auch noch geschützte Arten. Und wenn Sie gerade an die Waffe denken, versichere ich Ihnen, daß die Shuara sie nicht haben, denn sie haben ihn weit weg vom Ort seines Todes gefunden. Glauben Sie mir nicht? Sehen Sie sich die Stiefel an. Das Fersenstück ist zerrissen. Das heißt, daß das Weibchen ihn ein gutes Stück weit geschleift hat, nachdem es ihn getötet hatte. Schauen Sie sich die Risse im Hemd an, auf der Brust. Da hat das Tier ihn mit den Zähnen gepackt, um ihn zu ziehen. Armer Gringo. Sein Tod muß furchtbar gewesen sein. Sehen Sie sich die Wunde an. Eine der Krallen hat ihm die Halsschlagader zerfetzt. Er muß eine halbe Stunde mit dem Tod gekämpft haben, während das Weibchen sein hervorsprudelndes Blut trank, und danach, kluges Tier, hat es ihn zum Flußufer gezerrt, um zu verhindern, daß die Ameisen ihn auffraßen. Dann hat es ihn angepißt, um ihn zu markieren, und war wohl auf der Suche nach dem Männchen, als die Shuara ihn fanden. Lassen Sie sie gehen, und bitten Sie sie, die Goldsucher zu warnen, die am Ufer kampieren. Ein vor Schmerz halb wahnsinniges Ozelotweibchen ist gefährlicher als zwanzig Mörder zusammen.«

Der Bürgermeister erwiderte kein Wort und ging, um den Bericht für die Polizeistation von El Dorado zu schreiben.

Die Luft wurde immer wärmer und dicker. Klebrig wie ein lästiger Film legte sie sich auf die Haut und brachte aus dem Urwald die Ruhe mit, die dem Sturm vorangeht. Jeden Augenblick würden sich die Schleusen des Himmels öffnen.

Aus dem Bürgermeisteramt drang das langsame Tippen einer Schreibmaschine, und ein paar Männer machten eine Kiste fertig, in der die Leiche transportiert werden sollte, die vergessen auf den Brettern des Stegs lag.

Der Kapitän der »Sucre« fluchte, als er zum bedeckten Himmel hochblickte, und verwünschte den Toten. Er kümmerte sich selbst darum, die Kiste mit einer Schicht Salz auszustreuen, obwohl er wußte, daß es nicht viel helfen würde.

Eigentlich hätte man das tun müssen, was man im Urwald normalerweise mit jedem Toten tat, den man aufgrund absurder gesetzlicher Anordnungen nicht einfach in einer Waldlichtung liegenlassen konnte: ihn mit einem kräftigen Schnitt vom Hals bis zur Leiste öffnen, ihm die Gedärme herausnehmen und den Körper mit Salz auffüllen. Auf diese Weise konnten sich die Leichen bis zum Ende der Reise sehen lassen. Aber diesmal handelte es sich um einen verdammten Gringo, und man mußte ihn im Ganzen mitnehmen, mitsamt den Würmern, die ihn von innen her auffraßen, so daß er bei der Ankunft nur noch ein Sack voll stinkender Körpersäfte sein würde.

Der Zahnarzt und der Alte saßen auf den Gasflaschen und sahen den Fluß vorbeiziehen. Von Zeit zu Zeit reichten sie einander die Frontera-Flasche, und sie rauchten Zigaretten aus hartem Blatt, die auch bei dieser Feuchtigkeit nicht ausgingen.

»Donnerwetter, Antonio José Bolívar. Das hat unserer Exzellenz die Sprache verschlagen. Ich wußte gar nicht, daß du ein Detektiv bist. Du hast ihn vor allen Leuten blamiert, geschieht ihm ganz recht. Ich hoffe, daß ihm die Jíbaros eines Tages einen Pfeil verpassen.«

»Seine Frau wird ihn umbringen. Sie sammelt Haß an, aber noch hat sie nicht genug beisammen. Das braucht seine Zeit.«

»Sieh mal. Bei dem ganzen Wirbel um den Toten hätte ich es fast vergessen. Ich hab dir zwei Bücher mitgebracht.«

Die Augen des Alten leuchteten auf.

»Liebesgeschichten?«

Der Zahnarzt bejahte.

Antonio José Bolívar Proaño las Liebesromane, und auf jeder seiner Reisen versorgte ihn der Zahnarzt mit Lektüre.

»Sind sie traurig?« fragte der Alte.

»Zum Heulen«, versicherte der Zahnarzt.

»Mit Leuten, die sich wirklich lieben?«

»Wie nie zuvor jemand geliebt hat.«

»Leiden sie sehr?«

»Ich konnte es kaum ertragen«, antwortete der Zahnarzt.

Aber Doktor Rubicundo Loachamín las die Romane nicht.

Als der Alte ihn um den Gefallen gebeten hatte, ihm Lesestoff mitzubringen, und dabei sehr deutlich seine Vorlieben – Leidensgeschichten, unglückliche Lieben und glückliche Ausgänge – zum Ausdruck gebracht hatte, erkannte der Zahnarzt, daß er einem Auftrag gegenüberstand, der schwer auszuführen war.

Er dachte an die Blamage, wenn er in Guayaquil eine Buchhandlung betreten und verlangen würde: »Geben Sie mir einen ganz traurigen Roman, mit viel Liebeskummer und einem Happy-End.« Sie würden ihn für eine alte Schwuchtel halten. Die Lösung des Problems fand er schließlich ganz unerwartet in einem Hafenbordell.

Dem Zahnarzt gefielen die schwarzen Frauen, zunächst einmal, weil sie Dinge zu sagen wußten, die einen k.o. geschlagenen Boxer wieder auf die Beine bringen konnten, und zweitens, weil sie im Bett nicht schwitzten.

Eines Nachmittags, während eines Schäferstündchens mit Josefina, einer Esmeralderin mit trommelglatter Haut, entdeckte er einen Stapel Bücher auf ihrer Kommode.

»Du liest?« fragte er.

»Ja. Aber langsam«, antwortete die Frau.

»Und welche Bücher liest du am liebsten?«

»Liebesromane«, antwortete Josefina und führte daraufhin dieselben Vorlieben an wie Antonio José Bolívar.

Von jenem Nachmittag an wechselte Josefina zwischen den Pflichten einer Animierdame und denen eines Literaturkritikers ab. Alle sechs Monate wählte sie zwei Romane aus, die ihrer Meinung nach die größten Leiden enthielten, dieselben, die Antonio José Bolívar Proaño später in der Einsamkeit seiner Hütte am Nangaritza lesen würde.

Der Alte nahm die Bücher entgegen, begutachtete die Umschläge und erklärte, daß sie ihm gefielen.

In diesem Augenblick brachte man die Kiste unter Aufsicht des Bürgermeisters an Bord. Als er den Zahnarzt sah, schickte er einen Mann zu ihm hinüber.

»Der Bürgermeister sagt, Sie sollen die Steuern nicht vergessen.«

Der Zahnarzt reichte ihm die bereitgehaltenen Scheine und fügte hinzu: »Wie kommt er nur auf den Gedanken. Sag ihm, daß ich ein anständiger Bürger bin.«

Der Mann ging zum Bürgermeister zurück. Der Dicke nahm die Scheine an sich, ließ sie in der Tasche verschwinden und grüßte den Zahnarzt, indem er eine Hand an die Stirn hob.

»Hat er Sie also auch mit dieser Steuergeschichte drangekriegt«, bemerkte der Alte.

»Bisse. Die Regierungen leben von den heimtückischen Bissen, die sie den Bürgern verpassen. Zum Glück haben wir es mit einem kleinen Hund zu tun.«

Sie rauchten und tranken noch ein paar Schnäpse, während sie die grüne Ewigkeit des Flusses vorbeiziehen sahen.

»Antonio José Bolívar. Du siehst nachdenklich aus. Spuck's aus.«

»Sie haben recht. Die Angelegenheit gefällt mir ganz und

gar nicht. Bestimmt denkt die Schleimschnecke an eine Treibjagd und wird mich dabeihaben wollen. Das gefällt mir nicht. Haben Sie die Wunde gesehen? Ein sauberer Prankenhieb. Das ist ein stattliches Tier, die Krallen sind wohl an die fünf Zentimeter lang. Ein solches Tier ist kräftig, auch wenn es noch so ausgehungert ist. Außerdem kommt der Regen. Die Spuren verwischen, und der Hunger macht es gerissener.«

»Du kannst dich weigern, an der Jagd teilzunehmen. Für solche Ausflüge bist du schon zu alt.«

»Glauben Sie das nicht. Manchmal bekomme ich Lust, ein zweites Mal zu heiraten. Wer weiß, vielleicht überrasche ich Sie nächstens mit der Bitte, mein Trauzeuge zu werden.«

»Unter uns. Wie alt bist du, Antonio José Bolívar?«

»Viel zu alt. Den Papieren nach um die Sechzig, aber wenn man bedenkt, daß ich schon längst laufen konnte, als ich angemeldet wurde, gehe ich wohl auf die Siebzig zu.«

Das Glockengeläut der »Sucre« kündigte die Abfahrt an und zwang sie, Abschied zu nehmen.

Der Alte blieb am Steg, bis das Schiff von einer Flußbiegung verschluckt wurde und verschwand. Dann entschied er, daß er an diesem Tag mit niemandem mehr reden wollte, nahm das künstliche Gebiß heraus, wickelte es in sein Taschentuch und ging, die Bücher an die Brust gedrückt, zurück zu seiner Hütte.

# DREI

Antonio José Bolívar Proaño konnte lesen, aber nicht schreiben.

Allenfalls gelang es ihm, seinen Namen hinzukritzeln, wenn er beispielsweise in Wahlzeiten irgendein offizielles Papier unterschreiben sollte, aber da solche Ereignisse nur sehr selten vorkamen, hatte er es fast schon verlernt.

Er las langsam, indem er die Silben zusammenfügte, sie leise vor sich hin murmelte, als wolle er sie im Mund zergehen lassen, und wenn er das ganze Wort beherrschte, wiederholte er es in einem Zug. Das gleiche machte er dann mit dem ganzen Satz und eignete sich auf diese Weise die auf die Seiten gebannten Gefühle und Gedanken an.

Wenn ihm eine Passage besonders gut gefiel, wiederholte er sie ein ums andere Mal: so oft, wie er es für nötig hielt, um zu entdecken, wie schön die menschliche Sprache sein konnte.

Er las mit Hilfe einer Lupe, seines zweitliebsten Besitztums. Das liebste war ihm sein künstliches Gebiß.

Er lebte in einer Schilfhütte von etwa zehn Quadratmetern, auf denen er das spärliche Mobiliar angeordnet hatte: die Hängematte aus Jute, die Bierkiste, auf der der Kerosinkocher stand, und einen hohen, sehr hohen Tisch. Als er nämlich zum erstenmal Rückenschmerzen verspürt hatte, stellte er fest, daß er langsam in die Jahre kam, und beschloß, so wenig wie möglich zu sitzen.

Also baute er den hochbeinigen Tisch, um im Stehen zu essen und daran seine Liebesromane zu lesen.

Die Hütte hatte ein Dach aus geflochtenem Stroh und ein

Fenster, das sich zum Fluß hin öffnete. Vor dem Fenster stand der hohe Tisch.

Neben der Tür hingen ein fadenscheiniges Handtuch und ein Seifenstück, das zweimal im Jahr erneuert wurde. Es war eine gute Seife mit durchdringendem Talggeruch, die Wäsche, Teller, Kochgeschirr, Haar und Körper gut wusch.

Am Fußende der Hängematte hing ein Foto an der Wand, das von einem Künstler aus den Bergen retuschiert worden war und ein junges Paar zeigte.

Der Mann, Antonio José Bolívar Proaño, trug einen strengen blauen Anzug, ein weißes Hemd und eine gestreifte Krawatte, die es nur in der Phantasie des Porträtisten gegeben hatte.

Die Frau, Dolores Encarnación del Santísimo Sacramento Estupiñán Otavalo, trug Gewänder, die es sehr wohl gegeben hatte und die in den heimtückischen Winkeln der Erinnerung fortlebten, dort, wo sich auch die aufdringliche Einsamkeit auf die Lauer zu legen pflegte.

Eine blaue Samtmantille verlieh dem Kopf Würde, ohne das glänzend schwarze, in der Mitte gescheitelte Haar ganz zu verdecken, das weich auf den Rücken fiel. An den Ohrläppchen hingen runde goldene Ohrringe, und um den Hals wanden sich mehrere Reihen ebenfalls goldener Perlen.

Der Teil des Oberkörpers, der auf dem Bild sichtbar war, ließ eine reich bestickte Bluse erkennen, wie sie in Otavalo getragen wurde; weiter oben lächelte die Frau mit einem kleinen, roten Mund.

Sie hatten sich als Kinder in San Luis, einem Gebirgsdorf in der Nähe des Imbabura-Vulkans, kennengelernt. Sie waren dreizehn Jahre alt gewesen, als man sie einander versprach, und zwei Jahre später, nach einem Fest, an dem sie – verschreckt durch den Gedanken, in ein Abenteuer geraten zu sein, das eine Nummer zu groß für sie war – nicht sonderlich teilhatten, waren sie auch schon verheiratet.

Das Kinderpaar verlebte seine ersten Ehejahre im Haus ihres Vaters, eines sehr alten Witwers, der sie unter der Bedingung, daß sie ihn pflegten und für ihn beteten, als seine Erben eingesetzt hatte.

Als der Alte starb, waren sie an die neunzehn Jahre alt und erbten ein paar wenige Meter Land, die keine Familie ernähren konnten, sowie einige Nutztiere, die den Kosten der Trauerfeierlichkeiten zum Opfer fielen.

Die Zeit verging. Der Mann bewirtschaftete den Familienbesitz und arbeitete auf den Feldern anderer Landbesitzer. Sie hatten gerade nur das Nötigste zum Leben; das einzige, das sie im Überfluß ernteten, waren die boshaften Bemerkungen, die ihn nicht direkt betrafen, sich jedoch an Dolores Encarnación del Santísimo Sacramento Estupiñán Otavalo entzündeten.

Die Frau wurde nicht schwanger. Jeden Monat stellte sich mit verhaßter Pünktlichkeit ihre Blutung ein, und mit jedem Monatszyklus wuchs die Vereinsamung.

»Die ist unfruchtbar auf die Welt gekommen«, sagten einige der alten Weiber.

»Ich habe ihr erstes Monatsblut gesehen. Es war voller toter Kaulquappen«, versicherte eine andere.

»Sie ist inwendig tot. So eine Frau taugt doch nichts«, munkelten sie.

Antonio José Bolívar Proaño versuchte sie zu trösten. Sie reisten von einem Heilkundigen zum anderen und probierten alle möglichen Fruchtbarkeitskräuter und -salben aus.

Es war alles umsonst. Monat für Monat verkroch sich die Frau in einem Winkel des Hauses, um auf den Fluß ihrer Schande zu warten.

Als man dem Mann einen empörenden Vorschlag machte, beschlossen sie, aus den Bergen fortzugehen.

»Vielleicht liegt es an dir. Du mußt sie während der Feiern von San Luis allein lassen.«

Man schlug ihm vor, sie zu den Junifeiern mitzunehmen und sie zu zwingen, am Tanz und am großen allgemeinen Besäufnis teilzunehmen, das beginnen würde, sobald der Pfarrer gegangen war. Dann würden sie alle auf dem Kirchenboden liegen und weitertrinken, bis der großzügig aus den Zuckersiedereien geflossene Zuckerrohrschnaps, der »Reine«, im Schutz der Dunkelheit ein Gewirr von Leibern verursacht hätte.

Antonio José Bolívar Proaño weigerte sich, Vater eines derart gezeugten Kindes zu werden. Zum anderen hatte er von einem Plan zur Besiedlung des Amazonasgebiets erfahren. Die Regierung versprach große Landflächen und technische Unterstützung im Zuge der Besiedlung von Gebieten, die man Peru streitig machte. Vielleicht würde ein Klimawechsel das Leiden der einen oder des anderen beheben.

Kurz vor den Festlichkeiten von San Luis packten sie ihre Siebensachen, schlossen das Haus hinter sich zu und machten sich auf den Weg.

Sie brauchten zwei Wochen, um den Flußhafen von El Dorado zu erreichen. Manche Strecken legten sie mit dem Bus zurück, andere im Lastwagen und wieder andere einfach zu Fuß. Sie kamen durch Städte mit eigentümlichen Sitten, wie Zamora und Loja, wo die Saraguru-Indianer darauf beharren, sich schwarz zu kleiden, um so die Trauer um den Tod Atahualpas zu verewigen.

Nach einer weiteren Reisewoche im Kanu, die ihnen aufgrund der mangelnden Bewegung völlig steife Glieder einbrachte, gelangten sie an eine Flußbiegung, wo nur ein einziges Gebäude zu sehen war: eine riesige Hütte aus Zinkblech, die als Büro, Saatkammer, Werkzeugschuppen und Wohnung für die neu eingetroffenen Siedler diente. Das war El Idilio.

Dort überreichte man ihnen nach knappen Formalitäten

ein prächtig versiegeltes Papier, das sie als Siedler auswies. Man teilte ihnen zwei Hektar Urwald zu, gab ihnen zwei Macheten, ein paar Schaufeln, einige Säcke voller von Kornkäfern zerfressener Saat sowie das Versprechen einer technischen Unterstützung, die sie niemals erhalten sollten.

Das Paar baute eine notdürftige Hütte und machte sich sogleich daran, den Busch zu roden. Sie arbeiteten von früh bis spät, um einen Baum, ein paar Lianen, ein paar Pflanzen auszureißen, und mußten doch am nächsten Morgen zusehen, wie sie mit rachsüchtiger Kraft von neuem austrieben.

Als die erste Regenzeit kam, gingen ihre Vorräte zu Ende, und sie wußten nicht mehr weiter. Einige Siedler hatten Waffen, alte Gewehre, doch die Tiere des Urwalds waren flink und gerissen. Selbst die Fische im Fluß schienen sich über sie lustig zu machen, wenn sie ihnen vor der Nase herumsprangen, ohne sich fangen zu lassen.

Durch die Regenfälle, die ihnen unbekannten Stürme, von allem abgeschnitten, erlagen sie der Verzweiflung, wohl wissend, daß sie dazu verurteilt waren, auf ein Wunder zu warten, während sie dem steten Anschwellen des Flusses zusahen, der Baumstämme und aufgeblähte Tierkadaver mit sich fortriß.

Die ersten Siedler starben. Manche, weil sie unbekannte Früchte gegessen hatten, andere an schnellen, plötzlichen Fieberanfällen; wieder andere verschwanden im langgestreckten Bauch einer »Knochenbrecher«-Boa, die ihre Opfer umschlang, zermalmte und dann auf langsame, furchtbare Weise verschluckte.

Sie wußten, daß sie auf verlorenem Posten kämpften: jeder neue Regenschauer drohte ihre Hütte mitzureißen; sie kämpften gegen die Mücken, die in jeder Regenpause mit unabwendbarer Grausamkeit angriffen, sich des ganzen Körpers bemächtigten, zustachen, saugten, brennende Quaddeln hinterließen und Larven unter die Haut legten, die binnen kurzer Zeit zum Licht strebten und auf ihrem Weg in die grüne Freiheit eitrige Wunden öffneten; gegen die hungrigen Tiere, die im Urwald umherstrichen und ihn mit schauerlichen Geräuschen erfüllten, die sie um den Schlaf brachten: bis ihre Rettung schließlich in Gestalt einiger halbnackter Männer nahte, deren Gesichter mit Orleanmark bemalt und deren Köpfe und Arme bunt geschmückt waren.

Es waren die Shuara, die ihnen voll Mitleid zu Hilfe kamen.

Von ihnen lernten sie zu jagen, zu fischen, stabile, sturmfeste Hütten zu bauen, die eßbaren von den giftigen Früchten zu unterscheiden; vor allen Dingen aber lernten sie von ihnen die Kunst des Zusammenlebens im Urwald.

Nach der Regenzeit halfen ihnen die Shuara beim Roden der Urwaldhänge, wenngleich sie ihnen auch sagten, daß die ganze Mühe umsonst sei.

Trotz der Mahnung der Shuara brachten sie die erste Saat in den Boden und mußten allzubald feststellen, daß der Boden mager war. Die ständigen Regenfälle laugten ihn derart aus, daß die Pflanzen nicht die nötige Nahrung erhielten; noch vor der Blüte gingen sie an Schwäche ein oder wurden von den Insekten aufgefressen.

Als die nächste Regenzeit kam, rutschten die so mühsam bearbeiteten Felder mit dem ersten Regenschauer den Abhang hinunter.

Dolores Encarnación del Santísimo Sacramento Estupiñán Otavalo überlebte das zweite Jahr nicht; sie starb an einem schlimmen Fieberanfall, von der Malaria bis auf die Knochen ausgezehrt.

Antonio José Bolívar Proaño wußte, daß er nicht in sein Bergdorf zurückkehren konnte. Die Armen verzeihen einem alles, nur nicht das Scheitern.

Er mußte bleiben, allein mit seinen Erinnerungen. Er wollte sich an dieser verdammten Gegend rächen, an dieser grünen Hölle, die ihm seine Liebe und seine Illusionen geraubt hatte. Er träumte von einem riesigen Feuer, das das gesamte Amazonasgebiet in einen einzigen Scheiterhaufen verwandelte.

Und in seiner Machtlosigkeit erkannte er, daß er den Urwald nicht gut genug kannte, um ihn hassen zu können.

Er lernte die Sprache der Shuara, während er mit ihnen auf die Jagd ging. Sie jagten Tapire, Goldhasen, Wasserschweine, Pekaris, kleine Wildschweine mit sehr schmackhaftem Fleisch, Affen, Vögel und Reptilien. Er lernte, mit dem geräuschlosen, treffsicheren Blasrohr umzugehen sowie mit dem Speer auf die schnellen Fische Jagd zu machen.

Im Umgang mit ihnen legte er die Scham des katholischen Bauern ab. Er lief halbnackt herum und mied die neuen Siedler, die ihn für verrückt hielten.

Antonio José Bolívar Proaño hatte nie über das Wort Freiheit nachgedacht, und doch genoß er sie im Urwald in vollen Zügen. So sehr er auch versuchte, sein haßerfülltes Vorhaben wieder aufleben zu lassen, er fühlte sich doch in jener Welt so wohl, daß er es, den Verlockungen jener grenzlosen, herrenlosen Landschaft erlegen, schließlich ganz vergaß.

Er aß, wenn er Hunger hatte. Er wählte die wohlschmeckendsten Früchte aus, verschmähte gewisse Fische, die ihm zu langsam waren, spürte einem Urwaldtier nach, und wenn er es in Schußweite seines Blasrohrs hatte, konnte es vorkommen, daß sich sein Appetit änderte.

Wenn die Nacht anbrach und er allein sein wollte, legte er sich unter ein Kanu; war ihm dagegen nach Gesellschaft zumute, suchte er die Shuara auf.

Diese empfingen ihn erfreut. Sie teilten das Essen und die Blattzigaretten miteinander und saßen stundenlang, plaudernd und ausgiebig spuckend, um die ewige Feuerstelle herum.

»Wie sind wir?« fragten sie ihn.

»Nett wie eine Horde Affen, schwatzhaft wie betrunkene Papageien und laut wie die Teufel.«

Die Shuara nahmen die Vergleiche mit Gelächter auf und ließen vor Freude laute Fürze fahren.

»Dort, wo du herkommst, wie ist es da?«

»Kalt. Morgens und abends ist es eiskalt. Man muß Hüte und lange wollene Ponchos tragen.«

»Drum stinken sie. Wenn sie scheißen, machen sie sich auf den Poncho.«

»Nein. Na ja. Das kann schon mal vorkommen. Es ist nur so, daß wir wegen der Kälte nicht so oft baden können wie ihr.«

»Die Affen bei euch, tragen die auch Ponchos?«

»Es gibt keine Affen in den Bergen. Auch keine Tapire. Die Leute in den Bergen jagen nicht.«

»Und was essen sie?«

»Was es so gibt. Kartoffeln. Mais. Ab und zu ein Schwein oder ein Huhn, an den Feiertagen. Oder ein Meerschweinchen an den Markttagen.«

»Und was machen sie, wenn sie nicht jagen?«

»Arbeiten. Von Sonnenaufgang bis Sonnenuntergang.«

»Wie dumm! Wie dumm!« urteilten die Shuara.

Als er fünf Jahre dort gelebt hatte, wußte er, daß er diese Gegend nie verlassen würde. Zwei verborgene Spitzzähne hatten ihm die Botschaft übermittelt.

Von den Shuara hatte er gelernt, sich mit dem ganzen Fuß auftretend lautlos im Urwald fortzubewegen, Augen und Ohren auf alle Geräusche und Bewegungen gerichtet, ohne dabei die Machete einen Moment aus der Hand zu legen. In einem Moment der Nachlässigkeit steckte er sie in den Boden, um die Last der Früchte zurechtzurücken, und als er sie wieder fassen wollte, fühlte er, wie sich die brennenden Zähne einer »X« in sein rechtes Handgelenk bohrten.

Er sah gerade noch das einen Meter lange Reptil fortkriechen, X-förmige Spuren hinterlassend – daher sein Name –, und handelte schnell. Er sprang, die Machete in der gebissenen Hand schwingend, und hackte die Schlange in mehrere Stücke, bis die Giftwolke sich über seine Augen legte.

Tastend suchte er nach dem Kopf des Reptils, und während er spürte, daß das Leben aus ihm wich, schlug er den Weg zu einem Shuara-Dorf ein.

Die Indianer sahen ihn taumelnd kommen. Er konnte nicht mehr sprechen, da die Zunge, die Glieder, der ganze Körper bereits stark angeschwollen waren. Es schien, als würde er jeden Augenblick platzen. Es gelang ihm gerade noch, den Kopf des Reptils vorzuzeigen, bevor er das Bewußtsein verlor.

Einige Tage später erwachte er mit noch angeschwollenem Körper, von Kopf bis Fuß zitternd, sooft die Fieberschübe nachließen.

Ein Shuara-Medizinmann gab ihm in einem langsamen Heilungsprozeß seine Gesundheit zurück.

Kräutersude befreiten ihn vom Gift. Bäder in kalter Asche linderten die Fieberschübe und die Alpträume. Und dank einer Diät aus Affenhirn, Affenleber und Affennieren war es ihm möglich, nach drei Wochen wieder aufzustehen.

Während der Genesungszeit verbot man ihm, sich vom Dorf zu entfernen, und die Frauen wachten streng über den Vorgang der Körperreinigung. »In dir ist noch Gift. Du mußt den größten Teil ausscheiden und nur so viel in dir behalten, daß es dich vor neuen Bissen schützt.«

Sie drängten ihm saftige Früchte, Kräuteraufgüsse und andere Getränke auf und zwangen ihn so unentwegt zum Wasserlassen.

Als die Shuara sahen, daß er vollkommen genesen war, brachten sie ihm Geschenke: ein neues Blasrohr, ein Bündel Pfeile, eine Halskette aus Flußperlen, einen Gürtel aus Tukanfedern. Sie klatschten heftig in die Hände bis sie ihm begreiflich gemacht hatten, daß er eine Bewährungsprobe bestanden hatte, die nur der Laune verspielter Götter entsprungen war, kleinerer Götter, die oft die Gestalt von Käfern oder Glühwürmchen annehmen, wenn sie die Menschen in die Irre führen wollen, und die sich als Sterne verkleiden, um falsche Waldlichtungen vorzutäuschen.

Ohne mit den Ehrungen aufzuhören, bemalten sie seinen Körper mit den schillernden Farben der Boa und forderten ihn auf, mit ihnen zu tanzen.

Er war einer der wenigen, die den Biß einer Giftviper überlebt hatten. Das mußte mit einem Schlangenfest gefeiert werden.

Am Ende der Feier trank er zum erstenmal Natema, das süße rauscherzeugende Getränk, das aus den Wurzeln der Yahuasca gekocht wird. Und in der Traumvision sah er sich selbst als festen Bestandteil dieser sich ewig wandelnden Landschaft, als ein weiteres Haar auf diesem unendlichen grünen Körper; er dachte und fühlte wie ein Shuara. Dann sah er sich plötzlich, wie er in der Kleidung des erfahrenen Jägers den Spuren eines rätselhaften Tiers folgte, das ohne Form noch Größe, noch Geruch noch Laut war, ihn aber aus zwei leuchtend gelben Augen anblickte.

Es war ein geheimnisvolles Zeichen, das ihm zu bleiben befahl, und er befolgte es.

Später schloß er Freundschaft mit Nushiño, einem Shuara, der auch von weither gekommen war, so weit, daß die Beschreibung seines Herkunftsortes sich in den Zuflüssen des Gran Marañón verirrte. Nushiño war eines Tages mit einer Schußwunde am Rücken aufgetaucht, dem Andenken an eine zivilisatorische Expedition des peruanischen Militärs. Nach qualvollen Tagen der Irrfahrt kam er bewußtlos und fast verblutet im Kanu an.

Die Shuara von Shumbi heilten ihn. Als er genesen war,

durfte er bei ihnen bleiben, da ihre Blutsverwandtschaft es so erlaubte.

Zusammen durchstreiften sie das Dickicht. Nushiño war stark. Mit seinen schmalen Hüften und breiten Schultern schwamm er mit den Flußdelphinen um die Wette und war immer bester Laune.

Man sah sie gemeinsam einem großen Tier nachspüren, anhand der Farbe des hinterlassenen Kots Vermutungen anstellen. Wenn sie sicher waren, es zu haben, wartete Antonio José Bolívar auf einer Waldlichtung, während Nushiño das Tier aus dem Dickicht trieb und es zwang, dem vergifteten Pfeil entgegenzulaufen.

Manchmal jagten sie das eine oder andere Pekari für die Siedler, und das Geld, das sie von ihnen dafür bekamen, war für sie nichts weiter als der Tauschwert für eine neue Machete oder für einen Sack voll Salz.

Wenn er nicht zusammen mit dem Compadre Nushiño jagte, spürte er Giftschlangen auf.

Er wußte, wie er sie umkreisen mußte, einen hohen Ton pfeifend, der ihnen die Orientierung nahm, bis er vor ihnen stand. Dann ahmte er mit einem Arm die Bewegungen des Reptils nach, bis er es verwirrt hatte, bis nicht mehr er nachahmte, sondern die Bewegungen ausführte, denen das Reptil hypnotisiert folgte. Daraufhin handelte der andere Arm treffsicher. Die Hand packte die überraschte Schlange am Hals und zwang sie, auch den letzten Tropfen Gift abzulassen, indem er ihre Zähne auf den Rand einer Kürbisschale preßte.

Als der letzte Tropfen gefallen war, lockerte das Reptil seine Windungen, zu kraftlos, um weiter zu hassen, oder aber weil es verstand, daß sein Haß zwecklos war, und Antonio José Bolívar warf es verächtlich ins Blattwerk zurück.

Das Gift wurde gut bezahlt. Zweimal im Jahr erschien der Vertreter eines Labors, das Schlangenserum herstellte, und kaufte die tödlichen Gefäße.

Ein paarmal war das Reptil schneller als er, aber das machte ihm nichts aus. Er wußte, daß er wie ein Frosch anschwellen und ein paar Tage im Fieberwahn liegen würde. Dann aber käme der Augenblick der Genugtuung. Er war immun und gab gerne mit seinen narbenbedeckten Armen vor den Siedlern an.

Das Leben im Urwald härtete jede Faser seines Körpers ab. Er bekam katzenhafte Muskeln, die im Laufe der Jahre zäh wurden. Er wußte ebensoviel vom Urwald wie ein Shuara. Er folgte den Fährten ebensogut wie ein Shuara. Er schwamm ebensogut wie ein Shuara. Letzten Endes war er wie einer von ihnen, aber er war nicht einer der Ihren.

Aus diesem Grund mußte er nach einer gewissen Zeit immer wieder fortgehen, denn, so erklärten sie ihm, es war gut, daß er nicht einer der Ihren war. Sie wollten ihn sehen, ihn um sich haben, sie wollten aber auch seine Abwesenheit spüren, die Trauer, nicht mit ihm sprechen zu können, und den jubelnden Sprung im Herzen, wenn sie ihn zurückkehren sahen.

Die Zeiten des Regens und die des Überflusses lösten einander ab. Jahreszeit um Jahreszeit lernte er die Bräuche und Geheimnisse jenes Volkes kennen. Er nahm teil an der täglichen Verehrung der Schrumpfköpfe toter Feinde, die als würdige Krieger gestorben waren, und er stimmte mit seinen Gastgebern in die *anents* ein, gesungene Dankgedichte für den verliehenen Mut, und den Wunsch nach dauerhaftem Frieden.

Er nahm an den üppigen Festmählern teil, die von den Alten gegeben wurden, die die Stunde ihres »Weggehens« für gekommen hielten, und wenn sie unter der Wirkung von Chicha und Natema einschliefen, inmitten von glücklichen Traumvisionen, die ihnen die Tore zu bereits vorbestimmten zukünftigen Daseinsformen öffneten, half er mit, sie zu einer abgelegenen Hütte zu bringen und ihre Körper mit dem übersüßen Chonta-Honig einzusalben.

Am nächsten Tag sang er mit ihnen *anents* an diese neuen Leben, die jetzt die Gestalt von Fischen, Schmetterlingen oder weisen Tieren angenommen hatten, und sammelte mit ihnen die blanken weißen Knochen ein, die unverwertbaren Überreste jener Alten, die von den unerbittlichen Kiefern der Añango-Ameisen in ihr neues Dasein hinübergebracht worden waren.

Während er mit den Shuara lebte, hatte er keine Liebesromane gebraucht, um die Liebe zu erfahren.

Er war keiner der Ihren und konnte daher keine Ehefrau nehmen. Aber er war wie einer von ihnen, so daß der Shuara-Gastgeber ihn bat, während der Regenzeit eine seiner Frauen zu sich zu nehmen, zu größtem Stolz seiner Kaste und seines Hauses.

Die dargebotene Frau führte ihn zum Flußufer. Sie sang *anents,* wusch, schmückte und parfümierte ihn dort, um ihn dann zur Hütte zurückzuführen, wo sie sich auf einer Strohmatte liebten, mit hochgestreckten Beinen, von einem Feuer sanft erwärmt, ohne Unterbrechung *anents* singend, nasale Gedichte, die die Anmut ihrer Körper beschrieben und das Glück der Lust, das durch den Zauber der Beschreibung unendlich gesteigert wurde.

Es war die reine Liebe nur um der Liebe willen. Ohne Besitzansprüche und ohne Eifersucht.

»Niemand kann den Donner festbinden, und niemand kann Besitz nehmen von den Himmeln des anderen im Augenblick der Hingabe.«

So hatte es Compadre Nushiño ihm einst erklärt.

Wenn er den Nangaritza vorbeiziehen sah, hätte er meinen können, daß die Zeit diesen Winkel des Amazonasgebiets mied; die Vögel jedoch wußten, daß von Westen her mächtige Zungen in den Körper des Urwalds vordrangen.

Riesige Maschinen schlugen Schneisen, und die Shuara erhöhten ihre Mobilität. Sie blieben nicht mehr wie gewohnt drei Jahre am selben Ort, um dann weiterzuziehen und der Natur Erholung zu gönnen. Zwischen den Jahreszeiten luden sie ihre Hütten und die Knochen ihrer Toten auf und entfernten sich von den Fremden, die auftauchten und die Ufer des Nangaritza besetzten.

Es kamen noch mehr Siedler, diesmal angelockt von den Versprechungen, die Entwicklung der Vieh- und Holzwirtschaft zu fördern. Mit ihnen kam immer der des Rituals beraubte Genuß von Alkohol und somit auch der Verfall der Schwächsten. Vor allen Dingen aber nahm die Plage der Goldsucher zu, skrupelloser Subjekte, die mit dem einzigen Ziel eines schnellen Reichtums aus allen Himmelsrichtungen kamen.

Die Shuara zogen immer weiter nach Osten, auf der Suche nach der vertrauten Einsamkeit der undurchdringlichen Wälder.

Eines Morgens entdeckte Antonio José Bolívar, daß er alt wurde, als er mit dem Blasrohr sein Ziel verfehlte. Auch für ihn wurde es Zeit wegzugehen.

Er beschloß, sich in El Idilio niederzulassen und von der Jagd zu leben. Er wußte, daß er unfähig war, den Zeitpunkt seines eigenen Todes zu bestimmen und sich von den Ameisen auffressen zu lassen. Und selbst wenn es ihm gelänge, wäre es doch eine traurige Zeremonie.

Er war wie einer von ihnen, aber nicht einer der Ihren, und so würde es für ihn weder ein Fest noch eine Traumferne geben.

Eines Tages, als er mit dem Bau eines haltbaren, letzten Kanus beschäftigt war, hörte er den Knall, der von einem Flußarm herkam, das Zeichen, das seinen Weggang beschleunigen sollte.

Er rannte zum Ort der Explosion und traf auf eine Gruppe weinender Shuara. Sie zeigten auf die vielen toten Fische, die auf der Wasseroberfläche schwammen, und auf die Gruppe von Fremden, die vom Ufer her mit Schußwaffen auf sie zielten.

Es war eine Gruppe von fünf Abenteurern. Sie hatten den Staudamm, an dem die Fische laichten, mit Dynamit gesprengt, um sich einen Weg durch den Fluß zu bahnen.

Es ging alles sehr schnell. Die Weißen, die angesichts der Ankunft weiterer Shuara unruhig geworden waren, schossen, trafen zwei Indianer und flohen in ihrem Boot.

Er wußte, daß sie verloren waren. Die Shuara nahmen eine Abkürzung und erwarteten sie an einer Flußenge. Dort waren die Weißen ein leichtes Ziel für ihre vergifteten Pfeile. Einem von ihnen gelang es dennoch zu springen, er schwamm zum gegenüberliegenden Ufer und verlor sich im Dickicht.

Nun erst kümmerte er sich um die gefallenen Shuara.

Einer von ihnen war tot, der Schrotschuß auf kurze Entfernung hatte ihm den Kopf zerfetzt. Der zweite rang mit offener Brust mit dem Tod. Es war sein Compadre Nushiño.

»Schlechte Art, wegzugehen«, hauchte Nushiño mit schmerzverzerrtem Gesicht und wies mit zitternder Hand auf seinen Kürbis mit Curare. »Ich werde nicht ruhig weggehen können, Compadre. Ich werde wie ein trauriger blinder Vogel umherirren und gegen die Bäume fliegen, solang sein Kopf nicht an einem trockenen Ast hängt. Hilf mir, Compadre.«

Die Shuara umringten ihn. Er kannte die Gewohnheiten der Weißen, und die kraftlosen Worte Nushiños sagten ihm, daß nun der Augenblick gekommen war, die Schuld einzulösen, die er eingegangen war, als sie ihn nach dem Schlangenbiß gerettet hatten.

Es erschien ihm nur gerecht, seine Schuld zu begleichen. Mit dem Blasrohr bewaffnet schwamm er über den Fluß und ging zum erstenmal auf Menschenjagd.

Es fiel ihm nicht schwer, die Spur zu finden. In seiner

Verzweiflung hinterließ der Goldsucher so deutliche Spuren, daß er nicht einmal zu suchen brauchte.

Wenige Minuten später entdeckte er ihn: er stand starr vor Schreck vor einer schlafenden Boa.

»Warum habt ihr das getan? Warum habt ihr geschossen?«

Der Mann richtete sein Gewehr auf ihn.

»Die Jíbaros, wo sind die Jíbaros?«

»Auf der anderen Seite. Sie folgen dir nicht.«

Erleichtert ließ der Goldsucher die Waffe sinken, und der Alte nutzte die Gelegenheit, um ihm einen Schlag mit dem Blasrohr zu versetzen.

Er traf schlecht. Der Goldsucher taumelte, stürzte aber nicht, so daß ihm nichts anderes übrigblieb, als sich auf ihn zu werfen.

Der Mann war kräftig, aber nach einigem Ringen konnte er ihm das Gewehr entreißen.

Nie zuvor hatte er eine Schußwaffe in der Hand gehabt, aber als er sah, daß der Mann zur Machete griff, erriet er genau die Stelle, auf die er den Finger legen mußte. Der Knall ließ die Vögel verschreckt auffliegen.

Erstaunt über die Gewalt des Schusses näherte er sich dem Mann. Die doppelte Schrotladung hatte ihn in den Bauch getroffen, er wälzte sich vor Schmerz. Ohne auf seine Schreie zu achten, band er ihn an den Knöcheln fest und schleifte ihn zum Flußufer, und nach den ersten Schwimmstößen merkte er, daß der Unselige bereits gestorben war.

Am anderen Ufer warteten die Shuara auf ihn. Sie beeilten sich, ihm aus dem Fluß zu helfen, doch als sie die Leiche des Goldsuchers sahen, brachen sie in ein verzweifeltes Weinen aus, das er sich nicht erklären konnte.

Sie weinten nicht um den Fremden. Sie weinten um ihn und um Nushiño.

Er war keiner der Ihren, aber er war wie einer von ihnen. Folglich hätte er ihn mit einem vergifteten Pfeil hinrichten müssen, nicht ohne ihm vorher die Gelegenheit gegeben zu haben, wie ein Mann zu kämpfen. So würde, wenn die Lähmung des Curare einsetzte, sein ganzer Mut in seinem Gesichtsausdruck verbleiben, für immer festgebannt auf seinem verkleinerten Kopf, Lider, Nase und Mund fest zugenäht, damit er nicht entwich.

Wie aber sollte man diesen Kopf verkleinern, dieses Leben, das zu einer Grimasse des Entsetzens und des Schmerzes erstarrt war?

Es war seine Schuld, daß Nushiño nicht weggehen konnte. Nushiño würde bleiben müssen; er würde wie ein blinder Papagei gegen die Bäume prallen, würde den Haß derer, die ihn nicht gekannt hatten, auf sich ziehen, wenn er gegen ihre Körper stieß, den Schlaf der Boas störte, die aufgespürte Jagdbeute mit seinem ziellosen Geflatter verscheuchte.

Er hatte sich selbst entehrt und war zugleich verantwortlich für das ewige Unglück seines Compadre.

Weinend überließen sie ihm das beste Kanu. Weinend umarmten sie ihn, gaben ihm Proviant und sagten ihm, daß er von diesem Augenblick an nicht mehr willkommen war. Er würde die Dörfer der Shuara passieren können, aber er hatte nicht mehr das Recht, dort zu bleiben.

Die Shuara stießen das Kanu ab und verwischten sogleich seine Spuren am Strand.

# VIER

Nach fünf Tagen Flußfahrt erreichte er El Idilio. Der Ort hatte sich verändert. An die zwanzig Häuser waren so angeordnet, daß sie am Fluß entlang eine Straße bildeten. An ihrem Ende stand ein etwas größeres Gebäude, das an der Vorderseite ein gelbes Schild mit der Aufschrift »Bürgermeisteramt« trug.

Es gab auch einen Bootssteg aus Brettern, den Antonio José Bolívar mied. Er fuhr statt dessen noch ein paar Meter flußabwärts, bis ihm die Müdigkeit einen Platz anwies, wo er seine Hütte errichtete.

Am Anfang mieden ihn die Dorfbewohner. Sie hielten ihn für einen Wilden, wenn sie ihn im Urwald verschwinden sahen, bewaffnet mit einem Gewehr, einer vierzehner Remington, geerbt vom einzigen Menschen, den er getötet hatte, und das noch auf verkehrte Weise. Sie entdeckten jedoch bald, wie wertvoll es war, ihn in der Nähe zu wissen.

Sowohl die Siedler als auch die Goldsucher begingen im Urwald alle möglichen törichten Fehler. Rücksichtslos verwüsteten sie ihn und bewirkten damit, daß einige Tiere gefährlich wurden.

Um ein paar Meter Land zu gewinnen, rodeten sie manchmal unüberlegt drauflos und schnitten dabei einer Knochenbrecher-Boa den Weg ab, die sich rächte, indem sie eins ihrer Lasttiere umbrachte; oder sie waren so unvernünftig, die Pekaris in der Brunftzeit anzugreifen, was die kleinen Wildschweine in wütende Ungeheuer verwandelte.

Und dann die Gringos, die von den Erdölförderanlagen

kamen. Sie trafen in lärmenden Gruppen ein, trugen Waffen, die zur Ausrüstung einer ganzen Truppe ausgereicht hätten, und stürzten sich in den Urwald, fest entschlossen, alles niederzuschießen, was ihnen über den Weg lief. Sie tobten sich an den Ozelotkatzen aus, ohne auf die Jungtiere oder auf trächtige Weibchen Rücksicht zu nehmen, und später, bevor sie abzogen, fotografierten sie einander neben Dutzenden von aufgepflockten Fellen.

Die Gringos gingen fort, die Felle blieben und verwesten, bis eine mitleidige Hand sie in den Fluß warf, und die überlebenden Ozelotkatzen rächten sich, indem sie ausgehungerte Rinder anfielen.

Antonio José Bolívar kümmerte sich darum, sie in Schach zu halten, während die Siedler den Urwald zerstörten und das Meisterwerk des zivilisierten Menschen erschufen: die Wüste.

Aber die Tiere blieben nicht lange. Die überlebenden Arten wurden klüger: dem Vorbild der Shuara und anderer Kulturen des Amazonasgebietes folgend zogen auch sie sich in einem notgedrungenen Exodus immer tiefer in den Urwald zurück.

Antonio José Bolívar Proaño hatte nun all seine Zeit für sich. Und zur selben Zeit, als seine Zähne verfaulten, entdeckte er, daß er lesen konnte.

Um die Zähne kümmerte er sich, als er merkte, daß ein stinkender Atem aus seinem Mund kam, der von anhaltenden Schmerzen in den Backenzähnen begleitet war.

Oft hatte er Doktor Rubicundo Loachamín auf dessen halbjährlichen Reisen bei der Arbeit zugesehen, hatte sich aber nie vorgestellt, selbst einmal auf dem Leidensgestell zu sitzen, bis eines Tages die Schmerzen unerträglich geworden waren und ihm nichts anderes übrigblieb, als auf den Praxisstuhl zu steigen.

»Doktor, kurz gesagt, ich hab nur noch ein paar. Ich habe

mir die, die mich zu sehr geplagt haben selbst rausgeholt, aber mit dem Zeug da hinten werde ich allein nicht fertig. Machen Sie mir den Mund sauber und lassen Sie uns dann den Preis einer dieser schönen Prothesen aushandeln.«

Bei dieser Gelegenheit hatte die »Sucre« zwei Staatsbeamte an Land gebracht, die man für Eintreiber irgendeiner neuen Steuer hielt, als sie sich mit einem Tisch unter dem Tor des Bürgermeisteramts einrichteten.

Der Bürgermeister mußte all seine spärliche Überredungskunst einsetzen, um die flüchtenden Dorfbewohner zum Regierungstisch zu schleppen. Dort sammelten die zwei gelangweilten Abgesandten der Macht die geheimen Wahlstimmen der Bewohner von El Idilio ein, aus Anlaß einer Präsidentschaftswahl, die einen Monat später stattfinden sollte.

Auch Antonio José Bolívar trat an den Tisch.

»Kannst du lesen?« fragten sie ihn.

»Weiß ich nicht mehr.«

»Mal sehen. Was steht hier?«

Mißtrauisch näherte er sein Gesicht dem Papier, das sie ihm entgegenhielten, und war überrascht, die dunklen Zeichen entziffern zu können.

»Der-Herr-Kan-di-dat. Der Herr Kandidat.«

»Na also. Du hast das Recht zu wählen.«

»Recht zu was?«

»Zu wählen. Zur allgemeinen, geheimen Wahl zwischen den drei Kandidaten, die das höchste Amt anstreben. Verstehst du?«

»Kein Wort. Was kostet mich dieses Recht?«

»Nichts, Mann. Dafür ist es doch ein Recht.«

»Und wen muß ich wählen?«

»Na wen schon. Seine Exzellenz, den Volkskandidaten.«

Antonio José Bolívar stimmte für den Erwählten und erhielt für die Ausübung seines Rechts eine Flasche Frontera.

Er konnte lesen.

Dies war die wichtigste Entdeckung seines Lebens. Er konnte lesen. Er war im Besitz des Gegenmittels gegen das verderbliche Gift des Alterns. Er konnte lesen.

Aber er hatte nichts zu lesen.

Unwillig lieh ihm der Bürgermeister ein paar alte Zeitungen, die er als Beweis für seine unbestreitbare Beziehung zur Zentralgewalt gut sichtbar aufbewahrte, doch Antonio José Bolívar fand keinen Gefallen daran.

Die abgedruckten Auszüge der Parlamentsreden, in denen der ehrenwerte Bucaram versicherte, daß das Sperma eines anderen achtbaren Bürgers verwässert war, oder ein Artikel, in dem beschrieben wurde, wie Artemio Mateluna mit zwanzig Messerstichen, aber ohne Groll, seinen besten Freund umgebracht hatte, oder die Chronik, in der die Fans vom Manta beschuldigt wurden, im Fußballstadion einen Schiedsrichter kastriert zu haben, fand er nicht interessant genug, um sich im Lesen zu üben. Dies alles geschah in einer fernen Welt, ohne einen Zusammenhang, der es verständlich gemacht hätte, und ohne Verlockungen, es sich vorzustellen.

Eines Tages hatte die »Sucre« außer Bierkisten und Gasflaschen einen gelangweilten Kirchenmann an Land gebracht, der von den kirchlichen Autoritäten beauftragt worden war, die Kinder zu taufen und den wilden Ehen ein Ende zu setzen. Drei Tage blieb der Priester in El Idilio, ohne daß sich jemand bereit gefunden hätte, ihn zu den Häusern der Siedler zu bringen. Der Gleichgültigkeit der Kundschaft überdrüssig, setzte er sich schließlich auf den Bootssteg und wartete darauf, daß das Schiff ihn von dort wieder wegbrachte. Um die Stunden der größten Hitze totzuschlagen, zog er ein altes Buch aus seinem Beutel und versuchte zu lesen, bis der Wille der Müdigkeit über seinen eigenen siegte.

Das Buch in den Händen des Priesters wirkte auf die Augen von Antonio José Bolívar wie ein Köder. Geduldig wartete er ab, bis der Priester, vom Schlaf übermannt, es neben sich fallen ließ.

Es war eine Biographie vom heiligen Franz, die er verstohlen durchblätterte, während er sich sagte, daß er einen verzeihlichen Diebstahl beging.

Er fügte die Silben zusammen, und der dringende Wunsch, all das, was auf diesen Seiten stand, zu verstehen, verführte ihn dazu, die eingefangenen Worte halblaut zu wiederholen.

Der Priester wachte auf und blickte amüsiert auf Antonio José Bolívar, der seine Nase in das Buch steckte.

»Ist es interessant?« fragte er.

»Verzeihen Sie, Eminenz. Aber ich sah Sie schlafen und wollte Sie nicht stören.«

»Interessiert es dich?« wiederholte der Priester.

»Es scheint, daß es viel von Tieren erzählt«, antwortete er schüchtern.

»Der heilige Franz liebte die Tiere. Er liebte alle Geschöpfe Gottes.«

»Ich mag sie auch. Auf meine Art. Kennen Sie den heiligen Franz?«

»Nein. Gott versagte mir diese Freude. Der heilige Franz starb vor sehr vielen Jahren. Besser gesagt, er verließ das irdische Leben und weilt jetzt ewig beim Schöpfer.«

»Woher wissen Sie das?«

»Ich habe das Buch gelesen. Es ist eins meiner Lieblingsbücher.«

Der Priester verlieh seinen Worten Nachdruck, indem er mit der Hand über die abgenutzten Buchdeckel strich. Antonio José Bolívar beobachtete ihn verzückt und fühlte den Stachel des Neides.

»Haben Sie schon viele Bücher gelesen?«

»Einige. Früher, als ich noch jung war und meine Augen nicht müde wurden, verschlang ich jedes Werk, das mir in die Hände fiel.«

»Handeln alle Bücher von Heiligen?«

»Nein. Auf der Welt gibt es Abermillionen von Büchern. In allen Sprachen und über alle Themen, sogar über solche, die dem Menschen versagt sein sollten.«

Antonio José Bolívar verstand diese Zensur nicht und blickte noch immer unverwandt auf die Hände des Priesters. Dicke, weiße Hände auf dem dunklen Einband.

»Wovon handeln die anderen Bücher?«

»Das habe ich dir schon gesagt. Von allem möglichen. Es gibt Abenteuerbücher, wissenschaftliche Bücher, Bücher über das Leben tugendhafter Menschen, über die Technik, über die Liebe . . .«

Letzteres interessierte ihn. Über die Liebe wußte er, was in den Liedern gesungen wurde, besonders in den Pasillos von Julito Jaramillo. Die Stimme des armen Mannes aus Guayaquil drang manchmal aus einem Transistorradio und stimmte die Menschen melancholisch. Den Pasillos zufolge glich die Liebe dem Stich eines unsichtbaren Insekts, nur daß sie von allen ersehnt wurde.

»Wie sind die Bücher über die Liebe?«

»Ich fürchte, darüber kann ich dir nichts erzählen. Ich habe nur zwei gelesen.«

»Das macht nichts. Wie sind sie?«

»Also: Sie erzählen die Geschichte zweier Menschen, die sich kennenlernen, sich verlieben und darum kämpfen, die Schwierigkeiten zu überwinden, die ihrem Glück im Weg stehen.«

Das Signal der »Sucre« kündigte den Augenblick der Abfahrt an, und er wagte nicht, den Priester zu bitten, ihm das Buch zu überlassen. Was der ihm aber hinterließ, war ein noch stärkerer Wunsch zu lesen.

Die ganze Regenzeit verbrachte er damit, sein Unglück als verhinderter Leser wiederzukäuen, und zum ersten Mal sah er sich von der Einsamkeit in die Enge getrieben, diesem gerissenen Tier, das auf die kleinste Unachtsamkeit lauerte, um sich seiner Stimme zu bemächtigen und ihn zu langen Reden, die der Zuhörerschaft entbehrten, zu verurteilen.

Er mußte sich mit Lesestoff versorgen, und dafür mußte er El Idilio verlassen. Vielleicht brauchte er ja nicht allzu weit zu reisen, vielleicht gab es in El Dorado jemanden, der Bücher besaß, und er zermarterte sich das Hirn, um herauszufinden, wie er sie bekommen konnte.

Als die Regenfälle nachließen und der Urwald sich mit neuen Tieren bevölkerte, verließ er seine Hütte. Ausgerüstet mit dem Gewehr, mehreren Metern Schnur und der entsprechend geschärften Machete drang er in den Urwald ein.

Dort blieb er fast zwei Wochen in den Revieren der Tiere, die von den Weißen geschätzt wurden.

Im Revier der Affen, einer Gegend mit hohem Pflanzenwuchs, leerte er ein paar Dutzend Kokosnüsse, um die Fallen herzustellen. Er hatte es von den Shuara gelernt; es war nicht schwer. Man mußte die Kokosnüsse nur aushöhlen, indem man eine Öffnung von nicht mehr als einem Zoll Durchmesser hineinschnitt, und auf der anderen Seite ein zweites Loch bohren, durch das man eine Schnur hindurchziehen konnte, die man von innen mit einem festen falschen Knoten befestigte. Das andere Ende der Schnur band man an einem Baumstamm fest und füllte schließlich ein paar Kieselsteine in die Nußschale. Die Affen, die alles aus der Höhe beobachteten, würden es kaum erwarten können, bis er weggegangen war, um hinunterzusteigen und sich vom Inhalt der Nüsse zu überzeugen. Sie würden sie nehmen und schütteln, und wenn sie das klappernde Geräusch hörten, das die Kieselsteine verursachten, würden sie eine Hand hineinstecken und versuchen, sie herauszuholen. Sobald sie ein Steinchen in der Hand hielten, würden die Geizhälse die Hand zur Faust ballen und vergeblich darum kämpfen, diese wieder herauszuziehen.

Er stellte die Fallen auf und suchte, bevor er das Revier der Affen verließ, einen hohen Papayabaum, einen von denen, die zu Recht Affenpapayas genannt werden, so hoch, daß nur sie zu den herrlich sonnenreifen, übersüßen Früchten gelangen konnten. Er schüttelte den Stamm, bis zwei Früchte mit duftendem Fruchtfleisch herunterfielen, und machte sich dann zum Gebiet der Loris, Papageien und Tukane auf.

Er trug die Früchte in der Jagdtasche und suchte sich seinen Weg über die Waldlichtungen, um das Zusammentreffen mit unerwünschten Tieren zu vermeiden.

Eine Reihe von Hohlwegen führte ihn in eine Gegend mit dichtem Pflanzenwuchs, von Wespennestern und Waben emsiger Bienen übersät, über und über von Vogelscheiße gesprenkelt. Sobald er in dieses Dickicht vorgedrungen war, stellte sich eine Stille ein, die mehrere Stunden dauerte, bis sich die Vögel an seine Gegenwart gewöhnt hatten.

Aus einem dichten Geflecht von Lianen und Schlingpflanzen baute er zwei Käfige, und als er sie fertiggestellt hatte, suchte er nach Yahuasca-Pflanzen.

Dann zerdrückte er die Papayas, mischte das duftende gelbe Fruchtfleisch mit dem Saft, den er mit Schlägen des Machetegriffs aus den Yahuasca-Wurzeln gewonnen hatte, und wartete rauchend darauf, daß die Mischung gor. Er probierte. Sie schmeckte süß und stark. Zufrieden zog er sich an einen kleinen Bach zurück, wo er sein Nachtlager aufschlug und sich an Fischen satt aß.

Am nächsten Tag stellte er fest, daß er mit den Fallen Erfolg gehabt hatte.

Im Revier der Affen fand er ein Dutzend Tiere, erschöpft von der vergeblichen Anstrengung, ihre in den Kokosnüssen feststeckenden Fäuste zu befreien. Er wählte drei junge Pärchen aus, steckte sie in einen der Käfige und befreite die übrigen Affen.

Später fand er dort, wo er die gegorenen Früchte zurückgelassen hatte, eine Unmenge von Papageien und anderer Vögel, die in den unvorstellbarsten Stellungen schliefen. Einige versuchten, unsicheren Schrittes zu gehen oder mit ungeschicktem Flügelschlagen den Flug aufzunehmen.

Er steckte ein Pärchen goldblauer Aras und ein Pärchen Shapul-Loris, die wegen ihrer Geschwätzigkeit geschätzt wurden, in den zweiten Käfig und verabschiedete sich von den übrigen Vögeln, indem er ihnen ein schönes Erwachen wünschte. Er wußte, daß ihr Rausch einige Tage anhalten würde.

Mit der Beute auf dem Rücken kehrte er nach El Idilio zurück und wartete, bis die Mannschaft der »Sucre« die Ladearbeiten beendet hatte, um sich dem Kapitän zu nähern.

»Es ist so, daß ich nach El Dorado reisen muß und kein Geld habe. Sie kennen mich. Nehmen Sie mich mit, und ich zahle, sobald wir dort sind und ich die Tierchen verkauft habe.«

Der Kapitän warf einen Blick auf die Käfige und kratzte sich am mehrere Tage alten Bart, bevor er antwortete.

»Mit einem der Loris bin ich schon zufrieden. Ich hab meinem Sohn schon lange einen versprochen.«

»Dann hebe ich ein Pärchen für Sie auf, und die Rückfahrt ist auch bezahlt. Außerdem sterben diese Vögelchen vor Kummer, wenn man sie trennt.«

Während der Fahrt plauderte er mit Doktor Rubicundo Loachamín und unterrichtete ihn über den Grund seiner Reise. Der Zahnarzt hörte ihm amüsiert zu.

»Aber Alter. Warum hast du mir nicht früher gesagt, daß du gerne ein paar Bücher möchtest? Ich hätte sie dir in Guayaquil bestimmt besorgen können.«

»Danke, Doktor. Es ist nur so, daß ich noch nicht weiß, was für Bücher ich lesen will. Sobald ich es herausgefunden habe, komme ich auf Ihr Angebot zurück.«

El Dorado war weit davon entfernt, eine große Stadt zu

sein. Es hatte an die hundert Wohnhäuser, die meisten von ihnen waren am Fluß entlang aufgereiht. Seine Bedeutung stützte sich auf das Polizeiquartier, ein paar Regierungsbehörden, eine Kirche und eine staatliche, wenig besuchte Schule. Aber nach vierzig Jahren Urwaldleben war es für Antonio José Bolívar Proaño die Rückkehr in die riesige Welt, die er einst gekannt hatte.

Der Zahnarzt stellte ihm die einzige Person vor, die ihm bei seinem Vorhaben behilflich sein konnte: die Lehrerin. Er erreichte auch, daß der Alte für die Mithilfe bei der Hausarbeit und der Zusammenstellung eines Herbariums im Schulgebäude übernachten durfte, einem riesigen Raum aus Schilf, der mit einer Küche ausgestattet war.

Als er die Affen und die Papageien verkauft hatte, zeigte ihm die Lehrerin die Bibliothek.

Er war überwältigt, so viele Bücher auf einmal zu sehen. Die Lehrerin besaß an die fünfzig Bände, die in einem Bretterschrank aufgereiht waren, und er gab sich der angenehmen Aufgabe hin, sie mit Hilfe der gerade erworbenen Lupe durchzusehen.

Er blieb fünf Monate, während derer er seinen Lesegeschmack herausbildete und verfeinerte und die ihn zugleich mit neuen Zweifeln und neuen Antworten erfüllten.

Als er die Geometriebücher durchsah, fragte er sich, ob es sich wirklich lohnte, lesen zu können. Aus diesen Büchern merkte er sich einen langen Satz, den er später immer losließ, wenn er schlechter Laune war: »Die Hypotenuse ist die dem rechten Winkel gegenüberliegende Seite eines rechtwinkligen Dreiecks.« Ein Satz, der Fassungslosigkeit unter den Einwohnern von El Idilio auslöste, die ihn für einen absurden Zungenbrecher oder einen unbestreitbaren Widerruf hielten.

Die Geschichtsbücher hielt er für eine einzige Aneinanderreihung von Lügen. Wie war es möglich, daß diese blassen Jungchen mit ihren ellenbogenlangen Handschuhen und ihren engen Seiltänzerhosen fähig gewesen sein sollten, Schlachten zu gewinnen? Man brauchte sie nur anzusehen mit ihren gepflegten, wehenden Locken, um zu wissen, daß diese Typen keiner Fliege etwas zuleide tun konnten. So wurden die historischen Episoden aus seinen Lieblingslektüren gestrichen.

Edmondo De Amicis' ›Cuore‹ beschäftigte ihn fast während seines halben Aufenthalts in El Dorado. Das war schon eher etwas. Es war ein Buch, das an den Händen festklebte, und die Augen verscheuchten die Müdigkeit, um weiterzulesen. Aber der Krug geht so lange zum Brunnen, bis er bricht, und so sagte er sich eines Abends, daß so viel Leid nicht möglich sein konnte, und daß so viel Unglück auf keine Kuhhaut ging. Man mußte schon ein ausgesprochener Scheißkerl sein, um Vergnügen daran zu finden, einen kleinen Jungen wie den Kleinen Lombarden derart leiden zu lassen; und endlich, nachdem er die ganze Bibliothek durchgesehen hatte, fand er, was er wirklich suchte.

›Der Rosenkranz‹ von Florence Barclay enthielt Liebe, überall nur Liebe. Die Personen litten und mischten auf so wunderbare Weise Glück und Leid miteinander, daß seine Lupe von Tränen naß wurde.

Die Lehrerin war mit seiner Lieblingslektüre zwar nicht ganz einverstanden, erlaubte ihm aber dennoch, das Buch mitzunehmen, und er kehrte damit nach El Idilio zurück, um es einmal und hundertmal vor dem Fenster zu lesen, wie er es jetzt mit den Romanen zu tun beabsichtigte, die ihm der Zahnarzt mitgebracht hatte: Bücher, die verführerisch auf dem hohen Tisch lagen und warteten, ganz anders als der unstete Blick auf eine Vergangenheit, an die Antonio José Bolívar nicht gern dachte, Bücher, die die Tiefen der Erinnerung offenließen, um sie mit der Glückseligkeit und dem Leiden von Lieben zu füllen, die älter waren als die Zeit selbst.

# FÜNF

Mit den ersten Schatten der Nacht brach der Regen los, und schon nach wenigen Minuten war es unmöglich, die Hand vor Augen zu sehen. Der Alte legte sich in seine Hängematte und wartete auf den Schlaf, umgeben vom gewaltigen, eintönigen Rauschen des allgegenwärtigen Wassers.

Antonio José Bolívar Proaño schlief wenig. Er brauchte höchstens fünf Stunden Schlaf in der Nacht und zwei in der Mittagszeit. Die restliche Zeit verbrachte er damit, die Romane zu lesen, über die Geheimnisse der Liebe nachzudenken und sich die Orte vorzustellen, an denen die Geschichten spielten.

Wenn er von Städten las, die Paris, London oder Genf hießen, mußte er sich aufs äußerste konzentrieren, um sie sich ausmalen zu können. Ein einziges Mal hatte er eine große Stadt besucht, Ibarra. Er erinnerte sich undeutlich an die gepflasterten Straßen, an die Blocks niedriger, gleichförmiger, durchweg weißer Häuser und an den Platz der Waffen, der voller Leute war, die vor der Kathedrale spazierengingen.

Das war seine höchste Kenntnis der Welt, und wenn er die Geschichten las, die in Städten mit fernen, ernsten Namen wie Prag oder Barcelona spielten, dann schien es ihm, daß Ibarra schon aufgrund ihres Namens keine geeignete Stadt für eine große Liebe war.

Auf ihrer Reise in das Amazonasgebiet waren er und Dolores Encarnación del Santísimo Sacramento Estupiñán Otavalo noch durch zwei andere Städte gekommen, Loja und Zamora, aber sie hatten sie nur sehr flüchtig gesehen, so daß er nicht sagen konnte, ob es dort Platz für die Liebe gab. Besonders gern stellte er sich den Schnee vor.

Schon als Kind kam er ihm vor wie ein Schaffell, das zum Trocknen am Rand des Imbabura-Vulkans hing, und manchmal schien es ihm eine unverzeihliche Extravaganz, daß die Romangestalten auf ihn traten, ohne sich darum zu kümmern, ob sie ihn schmutzig machten.

Wenn es nicht regnete, stieg er noch nachts aus der Hängematte und ging zum Fluß, um sich zu waschen. Danach kochte er die Reisportionen für den Tag, briet Kochbananenscheiben, und wenn er Affenfleisch hatte, ergänzte er die Mahlzeiten durch große Stücke.

Die Siedler mochten das Affenfleisch nicht. Sie sahen nicht ein, daß dieses harte, feste Fleisch sehr viel mehr Proteine enthielt als das Fleisch der Schweine oder Kühe, die mit Elefantengras gefüttert wurden: nur Wasser und kein Geschmack. Andererseits mußte das Affenfleisch lange gekaut werden, und besonders denen, die keine eigenen Zähne mehr hatten, gab es das Gefühl, viel gegessen zu haben, ohne den Körper unnötig zu belasten.

Er spülte die Mahlzeiten mit einem wildwachsenden, im Metalltiegel gerösteten und mit einem Stein gemahlenen Kaffee hinunter, den er mit Melasse süßte und mit einem Schuß Frontera stärkte.

In der Regenzeit waren die Nächte länger, und er gönnte es sich, in der Hängematte liegenzubleiben, bis der Hunger oder das Bedürfnis, Wasser zu lassen, ihn heraustrieb.

Das Beste an der Regenzeit war, daß man nur zum Fluß hinuntergehen, untertauchen, ein paar Steine bewegen und im schlammigen Flußbett wühlen mußte, und schon verfügte man über ein Dutzend dicker Krebse zum Frühstück.

So tat er es auch an diesem Morgen. Er zog sich aus und band sich eine Schnur um den Bauch, deren anderes Ende er fest an einen Pfahl gebunden hatte, für den Fall, daß der Fluß plötzlich anschwoll oder einen Baumstamm antrieb. Als ihm das Wasser bis zu den Brustwarzen reichte, tauchte er unter.

Der Fluß war schlammig bis zum Grund, aber seine erfahrenen Hände tasteten den Morast ab, nachdem er einen Stein bewegt hatte, bis die Krebse sich mit ihren kräftigen Zangen an seinen Fingern festhakten.

Er tauchte mit einer Handvoll wild zappelnder Tiere wieder auf und wollte gerade aus dem Wasser steigen, als er die Schreie hörte.

»Ein Kanu! Da kommt ein Kanu!«

Er schärfte den Blick und versuchte, das Boot zu entdekken, aber der Regen ließ ihn nichts erkennen. Der Vorhang aus Wasser fiel ohne Unterlaß und durchlöcherte die Oberfläche des Flusses mit Millionen von Stichen, so heftig, daß sich nicht einmal Wellen formen konnten.

Wer konnte das sein? Nur ein Verrückter würde es wagen, mitten im Platzregen Kanu zu fahren.

Er hörte, wie sich die Schreie wiederholten, und erkannte ein paar undeutliche Gestalten, die zum Bootssteg rannten.

Er zog sich an, ließ die Krebse, die er mit einer Dose zudeckte, am Eingang der Hütte liegen, warf sich einen Plastikumhang über und ging ebenfalls zum Steg.

Die Männer machten Platz, als sie sahen, daß der Bürgermeister kam. Der Dicke hatte kein Hemd an; er schützte sich mit einem großen schwarzen Regenschirm und schwitzte am ganzen Körper.

»Was zum Teufel ist hier los?« schrie der Bürgermeister und trat ans Ufer.

Als Antwort zeigten sie nur auf das Kanu, das an einem der Pfähle festgebunden war. Es war eines jener schlecht gebauten Boote der Goldsucher. Es war schon halb gesunken und schwamm eigentlich nur noch, weil es aus Holz war. An Bord schaukelte die Leiche eines Mannes mit zerfetzter

Kehle und zerfleischten Armen. Die Hände, die an den Seiten aus dem Boot hingen, waren an den Fingern von den Fischen angefressen, und er hatte keine Augen mehr. Die Felsenhähne, diese kleinen, kräftigen roten Vögel, die einzigen, die in dieser Regenflut fliegen konnten, hatten ihm jeglichen Gesichtsausdruck geraubt.

Der Bürgermeister befahl, die Leiche an Land zu bringen. Als sie auf den Brettern des Stegs lag, erkannten sie ihn an seinem Mund.

Es war Napoleón Salinas, ein Goldsucher, der sich am Abend zuvor vom Zahnarzt hatte behandeln lassen. Salinas war einer der wenigen Männer, die sich die verfaulten Zähne nicht ziehen ließen; er zog es vor, sie mit Goldklumpen flikken zu lassen. Er hatte den Mund voller Gold, und jetzt zeigte er die Zähne mit einem Grinsen, das keine Bewunderung mehr hervorrief, während der Regen ihm das Haar glättete.

Der Bürgermeister suchte den Alten mit dem Blick.

»Und? Schon wieder die Katze?«

Antonio José Bolívar Proaño beugte sich zum Toten hinunter, während er ständig an die Krebse denken mußte, die er unter der Dose gefangen zurückgelassen hatte. Er öffnete die Wunde am Hals, untersuchte die Risse an den Armen und nickte schließlich mit dem Kopf.

»Was soll's. Einer weniger. Früher oder später mußte ihn der Sensenmann holen«, bemerkte der Bürgermeister.

Der Dicke hatte recht. Während der Regezeit sperrten sich die Goldsucher in ihren schlechtgebauten Hütten ein und warteten auf die allzu kurzen Regenpausen, die eher eine Atempause waren, die sich die Wolken gönnten, um ihre Fracht anschließend mit um so größerer Kraft fallen zu lassen.

Sie nahmen den Spruch »Zeit ist Geld« sehr wörtlich, und wenn die Regenfälle sich keine Pause gönnten, spielten sie mit einem speckigen Blatt mit oft unkenntlichen Figuren

Karten. Dabei haßten sie einander, wünschten sich den Besitz der Trumpfkarte, beneideten einander, und wenn die Sintflut endete, war es normal, daß mehrere von ihnen verschwunden waren, keiner wußte, ob von der Strömung oder von der Gefräßigkeit des Urwalds verschluckt.

Manchmal trieb eine aufgeblähte Leiche zwischen den Ästen und Stämmen, die vom Hochwasser mitgerissen wurden, am Steg von El Idilio vorbei, und niemand bemühte sich darum, sie mit einem Seil herauszuziehen.

Napoleón Salinas ließ den Kopf hängen, und nur die zerfetzten Arme wiesen darauf hin, daß er versucht hatte, sich zu wehren.

Der Bürgermeister leerte seine Taschen. Er fand einen ausgebleichten Ausweis, ein paar Münzen, etwas Tabak und einen kleinen Lederbeutel. Er öffnete ihn und zählte zwanzig Goldkörner, klein wie Reis.

»Nun, was sagt der Experte?«

»Das gleiche wie Sie, Exzellenz. Er ist spät von hier weggegangen, ziemlich betrunken, der Regen überraschte ihn, und er legte am Ufer an, um zu übernachten. Dort hat ihn die Katze angegriffen. Obwohl er verwundet war, schaffte er es, zum Kanu zu gelangen, aber er verblutete schnell.«

»Schön, daß wir einer Meinung sind«, sagte der Dicke.

Der Bürgermeister befahl einem der Umstehenden, ihm den Schirm zu halten, damit er die Hände frei hatte, um die Goldkörner unter den Anwesenden zu verteilen. Nachdem er den Schirm wieder an sich genommen hatte, stieß er mit dem Fuß den Toten an, der kopfüber ins Wasser fiel. Die Leiche ging schwerfällig unter, und der Regen ließ nicht erkennen, wo sie wieder an die Oberfläche kam.

Zufrieden schüttelte der Bürgermeister den Regenschirm und machte Anstalten zu gehen. Als er jedoch merkte, daß niemand ihm folgte und alle nur den Alten ansahen, spuckte er schlecht gelaunt aus.

»Also, Schluß mit der Veranstaltung. Worauf wartet ihr noch?«

Die Männer blickten unverwandt auf den Alten. Sie zwangen ihn, zu reden.

»Es ist nur so: Wenn einer auf dem Fluß fährt, und die Nacht überrascht ihn, auf welcher Seite legt er dann an, um sein Lager aufzuschlagen?«

»Auf der Seite, die sicherer ist. Auf unserer Seite«, antwortete der Dicke.

»Sie sagen es, Exzellenz. Auf unserer Seite. Man legt immer auf dieser Seite an, denn wenn das Boot verlorengehen sollte, bleibt immer noch die Möglichkeit, sich mit der Machete den Weg ins Dorf zurückzubahnen. Das gleiche hat auch der arme Salinas gedacht.«

»Und? Was spielt das jetzt noch für eine Rolle?«

»Das spielt eine große Rolle. Und wenn Sie ein bißchen darüber nachdenken, werden Sie zu dem Schluß gelangen, daß das Tier sich ebenfalls auf dieser Seite befindet. Oder glauben Sie, daß die Ozelote bei diesem Wetter in den Fluß gehen?«

Die Worte des Alten riefen aufgeregte Kommentare hervor, und die Männer wollten etwas vom Bürgermeister hören. Schließlich mußte die Staatsgewalt auch einmal zu etwas Praktischem taugen.

Der Dicke empfand ihre Erwartungshaltung als einen Angriff und täuschte vor nachzudenken, indem er den dicken Hals unter dem schwarzen Regenschirm einzog. Der Regen wurde plötzlich stärker, und die Plastikplanen, die die Männer schützten, klebten an ihnen wie eine zweite Haut.

»Das Tier ist noch weit weg. Habt ihr nicht gesehen, wie die Leiche ankam? Ohne Augen, halb aufgefressen von den Tieren. Das passiert nicht in einer Stunde und auch nicht in fünf. Ich sehe keinen Grund, um sich in die Hosen zu scheißen«, tönte der Bürgermeister.

61

»Kann sein. Aber Tatsache ist auch, daß der Tote noch nicht ganz starr war und nicht stank«, fügte der Alte hinzu.

Er sagte nichts weiter und wartete auch nicht auf eine Antwort des Bürgermeisters. Er drehte sich um und ging, während er überlegte, ob er die Krebse braten oder kochen sollte.

Als er in die Hütte trat, konnte er durch den Regenvorhang die einsame, dicke Gestalt des Bürgermeisters unter dem Regenschirm auf dem Steg stehen sehen, wie einen riesigen, dunklen, gerade eben auf den Brettern gewachsenen Pilz.

# Sechs

Nachdem der Alte die wohlschmeckenden Krebse gegessen hatte, reinigte er sorgfältig sein Gebiß und wickelte es in das Taschentuch. Dann räumte er den Tisch ab, warf die Essensreste aus dem Fenster, öffnete eine Flasche Frontera und entschied sich für einen der beiden Romane.

Der Regen umgab ihn von allen Seiten, und der Tag bot eine unnachahmliche Gemütlichkeit.

Der Roman begann gut.

»Paul küßte sie mit brennender Leidenschaft, während der Gondoliere, Komplize der Abenteuer seines Freundes, in eine andere Richtung zu blicken vorgab und die mit weichen Kissen ausgelegte Gondel leise durch die venezianischen Kanäle glitt.«

Er las den Absatz mehrmals laut.

Was zum Teufel waren wohl Gondeln?

Sie glitten durch die Kanäle. Es mußte sich um Boote oder Kanus handeln. Und was Paul betraf, so war klar, daß es sich nicht um einen anständigen Kerl handelte, da er das Mädchen in Gegenwart eines Freundes, der auch noch sein Komplize war, »mit brennender Leidenschaft« küßte.

Der Anfang gefiel ihm.

Es schien ihm sehr passend, daß der Autor die Bösen von Anfang an klar definierte. Auf diese Weise kam es nicht zu Verwirrungen und unverdienten Sympathien.

Und was das Küssen anging, wie hieß es noch? »Mit brennender Leidenschaft«. Wie zum Teufel machte man das wohl?

Er erinnerte sich daran, Dolores Encarnación del Santísimo Sacramento Estupiñán Otavalo nur ein paarmal geküßt zu haben. Womöglich hatte er es, wenngleich unwissentlich, bei einer dieser spärlichen Gelegenheiten so gemacht, mit brennender Leidenschaft, wie der Paul im Roman. Auf jeden Fall waren es nur wenige Küsse gewesen, weil seine Frau entweder mit Lachanfällen reagierte oder darauf hinwies, daß es Sünde sein könnte.

Mit brennender Leidenschaft küssen. Küssen. Jetzt erst entdeckte er, daß er es nur ein paarmal getan hatte und nur mit seiner Frau, denn bei den Shuara war das Küssen ein unbekannter Brauch.

Die Shuara streichelten einander am ganzen Körper, wobei es ihnen gleichgültig war, ob andere Personen dabei waren. Im Augenblick der Liebe küßten sie sich auch nicht. Die Frauen setzten sich lieber auf den Mann, mit der Begründung, daß sie in dieser Stellung die Liebe stärker genossen und daß die *anents,* die den Akt begleiteten, auf diese Weise viel gefühlvoller waren.

Nein. Die Shuara küßten nicht.

Er erinnerte sich auch daran, einmal einen Goldsucher gesehen zu haben, der sich auf eine Jíbara warf, eine arme Frau, die zwischen den Siedlern und den Abenteurern umherstrich und um einen Schluck Schnaps bettelte. Wer Lust hatte, drängte sie in eine Ecke und besaß sie. Die arme Frau war vom Alkohol abgestumpft und merkte nicht, was man mit ihr machte. An jenem Tag bestieg der Abenteurer sie am Strand und suchte ihren Mund mit seinem.

Die Frau reagierte wie ein Tier. Sie warf den Mann ab, schleuderte ihm eine Handvoll Sand in die Augen und begann dann, sich mit unverhohlenem Ekel zu übergeben.

Wenn das das Küssen voll brennender Leidenschaft war, dann war der Paul aus dem Roman nichts weiter als ein Schwein.

Als es Zeit für den Mittagsschlaf war, hatte er an die vier

Seiten gelesen und durchdacht, und er ärgerte sich über seine Unfähigkeit, sich Venedig so vorzustellen wie die anderen Städte, die in den Romanen beschrieben wurden.

Anscheinend waren die Straßen in Venedig überschwemmt, und die Leute mußten sich deshalb in Gondeln fortbewegen.

Die Gondeln. Das Wort Gondel nahm ihn schließlich für sich ein, und er beschloß, sein Kanu so zu nennen. Die Gondel des Nangaritza.

Inmitten solcher Gedanken umfing ihn die drückende Hitze der zweiten Nachmittagsstunde, und er legte sich in die Hängematte, schadenfroh lächelnd, als er sich vorstellte, wie die Leute ihre Haustüren öffneten und beim ersten Schritt in einen Fluß fielen.

Abends, nachdem er sich noch einmal an den Krebsen sattgegessen hatte, wollte er die Lektüre gerade wieder aufnehmen, als Geschrei ihn ablenkte und zwang, den Kopf in den Regen hinauszustecken.

Schrecklich schreiend rannte ein verrücktgewordener Esel den Weg entlang und schlug nach jedem aus, der ihn einzufangen versuchte. Von der Neugier getrieben, warf der Alte sich eine Plastikplane über die Schultern und ging hinaus, um nachzusehen, was los war.

Mit Mühe und Not gelang es den Männern, das scheue Tier zu umzingeln. Den Hufschlägen ausweichend, zogen sie langsam den Kreis enger. Manche fielen hin, um schlammbedeckt wieder aufzustehen, bis sie schließlich das Tier am Halfter packen und zum Stehen bringen konnten.

Der Esel wies an den Flanken tiefe Wunden auf und blutete stark aus einer Rißwunde, die am Kopf begann und bis zur kahlen Brust reichte.

Der Bürgermeister, diesmal ohne Regenschirm, befahl, ihn zu Boden zu ziehen, und gab ihm den Gnadenschuß. Das Tier bäumte sich auf, strampelte noch ein paarmal in der Luft und lag dann still.

»Das ist der Esel von Alkaseltzer Miranda«, sagte jemand.

Die anderen nickten. Miranda war ein Siedler, der sich etwa sieben Kilometer von El Idilio entfernt niedergelassen hatte. Er bearbeitete nicht mehr sein Land, das ihm der Urwald entrissen hatte, sondern betrieb einen kümmerlichen Verkaufsstand mit Schnaps, Tabak, Salz und Alkaseltzer – daher der Spitzname –, an dem sich die Goldsucher eindeckten, wenn sie nicht bis zum Dorf gehen wollten.

Der Esel war gesattelt. Das hieß, daß auch der Reiter noch irgendwo sein mußte.

Der Bürgermeister befahl den Männern, sich bereit zu halten, um am nächsten Morgen zum Stand von Miranda aufzubrechen, und trug zweien von ihnen auf, das Tier zu schlachten.

Die Macheten arbeiteten treffsicher unter dem Regen. Sie drangen in das Fleisch des ausgehungerten Kadavers ein, kamen blutverschmiert wieder heraus, und bevor sie erneut niedersausten und den Widerstand irgendeines Knochens brachen, waren sie vom Regen schon vollkommen saubergewaschen.

Die Fleischstücke wurden zum Eingang des Bürgermeisteramts gebracht, wo der Dicke sie unter die Anwesenden verteilte.

»Du. Welches Stück willst du, Alter?«

Antonio José Bolívar Proaño antwortete, er wolle nur ein Stück Leber, und verstand, daß er durch das Geschenk des Dicken nun auch mit von der Partie war.

Mit dem Stück warmer Leber in der Hand kehrte er in seine Hütte zurück, gefolgt von den Männern, die den Kopf und die anderen übriggebliebenen Teile des Tiers zum Fluß trugen. Es dämmerte bereits, und durch das Rauschen des Regens hörte man das Gebell der Hunde, die sich um die schlammbedeckten Gedärme des neuen Opfers stritten.

Während er die Leber briet und Rosmarinzweige dazugab, verfluchte er den Zwischenfall, der ihn aus seiner Ruhe gerissen hatte. Jetzt würde er sich nicht mehr auf seine Lektüre konzentrieren können, da er an den Bürgermeister als Anführer der Expedition des nächsten Tages denken mußte.

Alle wußten, daß der Bürgermeister ihn nicht leiden konnte, und mit Sicherheit hatte dessen Haß nach dem Zwischenfall mit den Shuara und dem toten Gringo noch zugenommen.

Der Dicke konnte ihm Schwierigkeiten machen; das hatte er ihn in der Vergangenheit bereits wissen lassen.

Schlecht gelaunt setzte er das künstliche Gebiß ein und kaute die zähen Leberstücke. Er hatte oft sagen hören, daß mit dem Alter die Weisheit kommt, und er hoffte vertrauensvoll darauf, daß jene Weisheit ihm geben würde, was er am meisten ersehnte: die Fähigkeit, den Gang der Erinnerungen zu lenken und nicht in die Fallen zu gehen, die diese ihm oft stellten.

Aber wieder einmal tappte er mitten rein und nahm das eintönige Rauschen des Regens nicht mehr wahr.

Vor einigen Jahren hatte eines Morgens ein nie zuvor gesehenes Boot am Steg von El Idilio angelegt. Ein flaches Motorboot, das reichlich Platz für acht Personen bot, die immer zu zweit nebeneinander saßen, im Gegensatz zur unbequemen Einerreihe der Kanus.

Mit dem neuartigen Boot trafen vier Nordamerikaner ein, ausgerüstet mit Fotoapparaten, Lebensmitteln und Gegenständen unbekannten Nutzens. Sie blieben mehrere Tage beim Bürgermeister, schmeichelten ihm und drängten ihm Whisky auf, bis der Dicke sie äußerst selbstzufrieden zu seiner Hütte führte und ihn als den besten Kenner des Amazonasgebiets vorstellte.

Der Dicke stank nach Alkohol und nannte ihn ununterbrochen seinen Freund und Mitarbeiter, während die Gringos sie fotografierten, und nicht nur sie, sondern alles, was ihnen vor die Linse kam.

Ohne um Erlaubnis zu fragen, traten sie in die Hütte. Einer von ihnen bestand nach einem Lachkrampf darauf, das Bild zu kaufen, das ihn neben Dolores Encarnación del Santísimo Sacramento Estupiñán Otavalo darstellte. Der Gringo besaß die Frechheit, das Bild abzuhängen, es in seinen Rucksack zu packen und ihm dafür eine Handvoll Geldscheine auf den Tisch zu legen.

Es fiel ihm schwer, den Ärger hinunterzuschlucken und die Sprache wiederzufinden.

»Sagen Sie diesem Hurensohn, wenn er das Bild nicht sofort wieder an seinen Platz hängt, verpasse ich ihm eine doppelte Ladung und puste ihm die Eier weg. Damit das klar ist, mein Gewehr ist immer geladen.«

Die Eindringlinge verstanden Spanisch und waren nicht darauf angewiesen, daß der Bürgermeister ihnen die Absichten des Alten darlegte. Versöhnlich bat der Dicke sie um Verständnis, erklärte, daß in dieser Gegend die Erinnerungen heilig waren, daß sie es nicht übelnehmen sollten, daß die Ecuadorianer, und er ganz besonders, die Nordamerikaner sehr schätzten, und daß, wenn es darum ging, schöne Andenken mitzunehmen, er selbst sich darum kümmern würde, sie ihnen zu beschaffen.

Sobald das Bild wieder an seinem gewohnten Platz hing, entsicherte der Alte das Gewehr und forderte sie auf, zu gehen.

»Blöder Alter. Du bringst mich um ein großes Geschäft. Du bringst uns beide um ein großes Geschäft. Er hat dir doch das Bild schon zurückgegeben. Was willst du noch?«

»Daß sie verschwinden. Ich mache keine Geschäfte mit Leuten, die keinen Respekt vor fremdem Eigentum haben.«

Der Bürgermeister wollte etwas erwidern, aber als er sah, daß die Besucher eine verächtliche Grimasse schnitten und den Rückweg antraten, wurde er wütend.

»Wenn hier einer geht, bist du das, verfluchter Alter.«

»Das ist mein Haus.«

»Ach ja? Und du hast dich noch nie gefragt, wem das Land gehört, auf dem deine dreckige Hütte steht?«

Die Frage überraschte Antonio José Bolívar tatsächlich. Irgendwann einmal hatte er ein Dokument gehabt, das ihn als Besitzer von zwei Hektar Land auswies, aber die lagen mehrere Meilen flußaufwärts.

»Das hier gehört niemandem. Es hat keinen Besitzer.«

Der Bürgermeister lachte triumphierend.

»Da irrst du dich aber gewaltig. Das ganze Land am Fluß entlang, vom Ufer hundert Meter landeinwärts, gehört dem Staat. Und daß du es nicht vergißt, der Staat hier bin ich. Wir sprechen uns noch. Was du mir heute angetan hast, das vergeß ich nicht. Ich gehör nicht zu denen, die verzeihen.«

Er bekam Lust, auf den Abzug zu drücken und das Gewehr auf ihn abzufeuern. Er stellte sich sogar bildlich vor, wie die doppelte Schrotladung in dessen dicken Bauch eindrang und ihn nach hinten warf, wo die Ladung herauskam und ihm die Gedärme und einen Teil des Rückens wegriß.

Als der Dicke die blitzenden Augen des Alten sah, beschloß er, schleunigst zu verschwinden, und rannte im Trab hinter der Gruppe Nordamerikaner her.

Am nächsten Tag legte das flache Boot mit vergrößerter Mannschaft vom Steg ab. Zu den vier Nordamerikanern hatten sich ein Siedler und ein Jíbaro gesellt, die beide vom Bürgermeister als Kenner des Urwalds empfohlen worden waren.

Antonio José Bolívar Proaño wartete mit geladenem Gewehr auf den Besuch des Dicken.

Aber der Dicke kam nicht zu seiner Hütte. Wer allerdings kam, war Onecén Salmudio, ein Achtzigjähriger, der aus Vilcabamba stammte. Der Greis mochte ihn, weil sie beide aus den Bergen stammten.

»Was gibt's, Landsmann?« grüßte Onecén Salmudio.

»Nichts, Landsmann. Was soll sein?«

»Ich weiß, daß was los ist, Landsmann. Zu mir ist die Schleimschnecke auch gekommen, um mich zu bitten, die Gringos in den Urwald zu führen. Ich habe ihn nur schwer davon überzeugen können, daß ich in meinem Alter nicht mehr weit komme. Und wie die Schleimschnecke mir geschmeichelt hat. Er sagte mir immer wieder, daß die Gringos von mir begeistert sein würden, wenn man bedenkt, daß ich auch einen Gringonamen trage.«

»Wie das, Landsmann?«

»Nun, Onecén ist der Name eines Heiligen der Gringos. Er steht auf ihren kleinen Münzen und wird getrennt geschrieben, mit einem t am Ende. *One cent.*«

»Irgend etwas sagt mir, daß Sie nicht gekommen sind, um mit mir über Ihren Namen zu sprechen, Landsmann.«

»Nein. Ich komme, um Ihnen zu sagen, daß Sie auf der Hut sein sollten. Die Schleimschnecke ist wütend auf Sie. Er hat die Gringos in meiner Gegenwart gebeten, bei ihrer Rückkehr nach El Dorado mit dem Kommissar zu sprechen, damit er ihm zwei Männer von der Landpolizei schickt. Er will Ihr Haus niederreißen, Landsmann.«

»Ich habe genug Munition für alle«, versicherte er ohne Überzeugung. In den folgenden Nächten konnte er nicht schlafen.

Der Balsam gegen die Schlaflosigkeit wurde ihm eine Woche später zuteil, als er das flache Boot auftauchen sah. Die Männer legten nicht eben sehr elegant an. Sie stießen gegen die Pfahle des Stegs und kümmerten sich nicht einmal darum, die Ladung an Land zu bringen. Es waren nur noch drei Nordamerikaner. Sobald sie an Land gesprungen waren, machten sie sich eiligst auf die Suche nach dem Bürgermeister.

Kurz darauf besuchte ihn der Dicke mit Friedensabsichten.

»Hör zu, Alter. Laß uns in aller Ruhe miteinander reden, dann werden wir uns schon einig. Es stimmt, was ich dir gesagt habe. Das Land, auf dem dein Haus steht, ist Staatsbesitz, und du hast kein Recht hierzubleiben. Mehr noch. Ich sollte dich wegen illegaler Besetzung festnehmen, aber wir sind Freunde und müssen einander helfen. Eine Hand wäscht die andere, und beide waschen den Arsch.«

»Was wollen Sie diesmal von mir?«

»Erst einmal, daß du mir zuhörst. Ich werde dir erzählen, was passiert ist. In der zweiten Nacht ist ihnen der Jíbaro mit ein paar Flaschen Whisky durchgebrannt. Du weißt, wie die Wilden sind. Sie denken nur ans Stehlen. Also, der Siedler hat ihnen gesagt, das sei nicht schlimm. Die Gringos wollten tief in den Urwald vordringen und die Shuara fotografieren. Ich weiß nicht, was sie an diesen nackten Indianern finden. Jedenfalls führte sie der Siedler ohne Schwierigkeiten in die Ausläufer des Yacuambi-Gebirges und dort seien sie von den Affen angegriffen worden. Ich habe sie nicht ganz verstanden, sie sind ganz hysterisch und reden alle durcheinander. Sie erzählen, daß die Affen den Siedler und einen von ihnen umgebracht hätten. Ich kann das nicht glauben. Wann hat man je gesehen, daß die Affen Menschen angreifen? Außerdem erledigt man mit einem einzigen Fußtritt ein Dutzend von ihnen. Ich verstehe das nicht. Meiner Meinung nach waren es die Jíbaros. Was meinst du?«

»Sie wissen, daß die Shuara es vermeiden, in Schwierigkeiten zu geraten. Die haben sicher nicht einen einzigen von ihnen gesehen. Wenn der Siedler sie, wie Sie sagen, bis zum Yacuambi-Gebirge gebracht hat, dann müssen Sie wissen, daß die Shuara schon vor langer Zeit dort weggezogen sind. Und Sie müssen auch wissen, daß die Affen sehr wohl angreifen. Sie sind zwar klein, aber tausend von ihnen zerfetzen ein Pferd.«

»Das verstehe ich nicht. Die Gringos waren nicht auf der Jagd. Sie hatten nicht einmal Waffen bei sich.«

»Es gibt vieles, das Sie nicht verstehen, und ich lebe schon seit vielen Jahren im Urwald. Hören Sie: Wissen Sie, wie es die Shuara machen, wenn sie in das Revier der Affen eindringen wollen? Sie legen erst einmal allen Schmuck ab, sie tragen nichts, was deren Neugier wecken könnte, und die Macheten bräunen sie mit verbrannter Palmenrinde. Überlegen Sie mal. Die Gringos mit ihren Fotoapparaten, ihren Uhren, ihren Silberketten, ihren Schnallen, ihren silbernen Messern. Sie waren eine glänzende Herausforderung für die Neugier der Affen. Ich kenne ihre Reviere und weiß, wie sie sich verhalten. Ich sage Ihnen, wenn man eine Kleinigkeit vergißt, etwas bei sich hat, irgend etwas, das die Neugier eines Affen erregt, und dieser von den Bäumen steigt, um sich dieses Etwas, was auch immer es ist, zu holen, dann ist es besser, es ihm zu überlassen. Wenn man sich statt dessen wehrt, wird der Affe anfangen zu schreien, und innerhalb von Sekunden werden Hunderte, Tausende von kleinen, haarigen, wütenden Teufeln vom Himmel regnen.«

Der Dicke hörte zu und wischte sich den Schweiß ab.

»Ich glaube dir. Aber an allem bist nur du schuld, weil du dich geweigert hast, sie zu begleiten und ihnen als Führer zu dienen. Mit dir wäre ihnen nichts passiert. Dabei hatten sie ein Empfehlungsschreiben vom Gouverneur. Ich stecke bis zum Hals in der Scheiße, und du wirst mir helfen, da wieder herauszukommen.«

»Auf mich hätten sie auch nicht gehört. Die Gringos wissen immer alles besser. Aber Sie haben immer noch nicht gesagt, was Sie von mir wollen.«

Der Bürgermeister zog einen mit Whisky gefüllten Flachmann aus der Tasche und bot ihm einen Schluck an. Der Alte nahm an, nur um den Geschmack kennenzulernen, und schämte sich sofort dieser Affenneugier.

»Sie wollen, daß jemand hingeht und die Überreste ihres Freundes holt. Ich schwöre dir, sie zahlen einen guten Preis. Du bist der einzige, der dafür in Frage kommt.«

»Gut. Aber mit Ihren Geschäften will ich nichts zu tun haben. Ich bringe Ihnen, was von dem Gringo übriggeblieben ist, und Sie lassen mich dafür in Ruhe.«

»Aber ja doch, Alter. Wie ich schon sagte, alles kommt in Ordnung, wenn man darüber spricht.«

Es fiel ihm nicht schwer, den Ort zu finden, wo die Nordamerikaner ihr erstes Nachtlager aufgeschlagen hatten. Er bahnte sich mit der Machete einen Weg und erreichte so das Yacuambi-Gebirge, den hohen Urwald, reich an wildwachsenden Früchten, in dem mehrere Affenkolonien ihr Territorium hatten. Dort mußte er nicht einmal nach einer Spur suchen. Auf ihrer Flucht hatten die Nordamerikaner so viele Gegenstände verloren, daß er diesen nur zu folgen brauchte, um die Überreste der Unseligen zu finden.

Zuerst fand er den Siedler. Er erkannte ihn am zahnlosen Schädel. Wenige Meter weiter fand er den Nordamerikaner. Die Ameisen hatten ganze Arbeit geleistet und blanke Knochen hinterlassen, die aussahen, als wären sie aus Gips. Dem Skelett des Nordamerikaners schenkten sie gerade die letzte Aufmerksamkeit. Wie winzige Holzfällerinnen kupferfarbener Stämme transportierten sie seinen blonden Haarschopf Haar für Haar fort, um damit den Eingangstrichter des Ameisenhaufens zu verstärken.

Bedächtig zündete er sich eine Zigarette an und rauchte, während er der Arbeit der Insekten zusah, die sich nicht um seine Gegenwart kümmerten. Als er über sich ein Geräusch hörte, konnte er das Lachen nicht unterdrücken. Ein kleines Äffchen fiel von einem Baum, hinuntergerissen vom Gewicht eines Fotoapparates, den es unbedingt mit sich schleppen wollte.

Er rauchte die Zigarette zu Ende. Dann half er den Ameisen mit der Machete, indem er die Haare vom Schädel schabte, und steckte die Knochen in einen Sack.

Einen einzigen Gegenstand des unseligen Nordamerikaners konnte er mitnehmen: den Gürtel mit der hufeisenförmigen Silberschnalle, den die Affen nicht hatten öffnen können.

Er kehrte nach El Idilio zurück, lieferte die Überreste ab, und der Bürgermeister ließ ihn in Frieden, jenem Frieden, den er bewahren mußte, da die angenehmen Augenblicke am Fluß, in denen er vor dem hohen Tisch stand und gemächlich die Liebesromane las, davon abhingen.

Doch nun war dieser Frieden von neuem gefährdet: durch den Bürgermeister, der ihn zwingen würde, an der Expedition teilzunehmen, und durch ein paar scharfe Krallen, die sich irgendwo im Dickicht versteckt hielten.

# SIEBEN

Die Männer versammelten sich beim ersten schwachen Licht der Morgendämmerung, das sich über den dunklen Wolken erahnen ließ. Einer nach dem anderen kamen sie über den schlammigen Weg gesprungen, barfuß, die Hosen bis zu den Knien hochgekrempelt.

Der Bürgermeister befahl seiner Frau, ihnen Kaffee und gebratene Kochbananenscheiben zu bringen, während er die Patronen für die Gewehre verteilte. Drei doppelte Ladungen für jeden, dazu ein Päckchen Zigaretten, Streichhölzer und eine Flasche Frontera.

»Das geht alles auf Staatskosten. Wenn wir zurück sind, müßt ihr mir dafür eine Quittung unterschreiben.«

Die Männer aßen und kippten sich den ersten Schluck des Tages hinter die Binde.

Antonio José Bolívar Proaño hielt sich etwas abseits von der Gruppe und rührte den Blechteller nicht an.

Er hatte beizeiten gefrühstückt und wußte, welche Nachteile es mit sich brachte, mit vollem Magen zu jagen. Der Jäger muß immer etwas hungrig aufbrechen, denn der Hunger schärft die Sinne. Er schliff die Machete mit einem Stein, wobei er ab und zu auf die Klinge spuckte und dann – ein Auge zugekniffen – die Perfektion des geschärften Stahls überprüfte.

»Haben Sie einen Plan?« fragte einer.

» Zuerst gehen wir zu Miranda. Dann sehen wir weiter.«

Der Dicke war in der Tat kein großer Stratege. Nachdem er umständlich die Ladung seiner Smith & Wesson, von den

Dorfbewohnern »mitigueso« genannt, überprüft hatte, zog er einen Regenmantel aus blauem Gummi über, der die Unförmigkeit seines Körpers noch hervorhob.

Keiner der vier Männer machte die geringste Bemerkung. Sie genossen es, ihn wie einen verrosteten Wasserhahn unaufhörlich schwitzen zu sehen. Du wirst schon sehen, Schleimschnecke. Du wirst schon merken, wie schön warm der Regenmantel ist. Da drin kochen sogar deine Eier.

Bis auf den Bürgermeister gingen alle barfuß. Sie hatten ihre Strohhüte mit Plastikbeuteln gefüttert und schützten die Zigaretten, die Munition und die Streichhölzer in Rucksäcken aus gummiertem Segeltuch. Die ungeladenen Gewehre trugen sie geschultert.

»Wenn ich mir die Bemerkung erlauben darf: Die Gummistiefel werden Sie beim Laufen nur stören«, bemerkte einer.

Der Dicke tat so, als habe er nichts gehört, und gab den Befehl zum Aufbruch.

Sie ließen das letzte Haus von El Idilio hinter sich zurück und drangen in den Urwald ein. Drinnen regnete es nicht so stark, aber das Wasser fiel in dickeren Strahlen. Der Regen konnte nicht durch das dichte Pflanzendach dringen. Das Wasser sammelte sich auf den Blättern, und wenn die Äste unter dem Gewicht nachgaben, stürzte es, nach allen Pflanzenarten duftend, herab.

Wegen des Schlamms, der Äste und der Pflanzen, die mit neuen Kräften den Pfad bedeckten, kamen sie nur langsam vorwärts.

Um besser voranzukommen, teilten sie sich auf. Vorne bahnten zwei Männer mit der Machete einen Weg, in der Mitte ging der heftig schnaufende Bürgermeister, von innen und außen durchnäßt, und hinten bildeten die beiden übrigen Männer das Schlußlicht und hieben die Pflanzen nieder, die den Männern der Vorhut entgangen waren.

Antonio José Bolívar war einer von denen, die hinter dem Bürgermeister gingen.

»Ladet die Gewehre. Wir müssen vorbereitet sein«, befahl der Dicke.

»Wozu? Es ist viel besser, die Patronen trocken in den Beuteln zu tragen.«

»Ich gebe hier die Befehle.«

»Zu Befehl, Exzellenz. Die Patronen gehören ja dem Staat.«

Die Männer taten so, als würden sie die Gewehre laden.

Nach fünfstündigem Fußmarsch hatten sie etwas mehr als einen Kilometer zurückgelegt. Der Marsch mußte wiederholt wegen der Stiefel des Dicken unterbrochen werden. Immer wieder versanken seine Füße im blubbernden Schlamm, und es schien, als wolle der Morast diesen fetten Körper verschlucken. Sogleich folgte der Kampf, die Füße herauszuziehen, wobei er sich mit solcher Ungeschicklichkeit bewegte, daß er nur noch tiefer einsank. Die Männer holten ihn heraus, indem sie ihm unter die Arme griffen und zogen, doch ein paar Schritte weiter war der Bürgermeister schon wieder bis zu den Knien eingesunken.

Plötzlich verlor der Dicke einen seiner Stiefel. Der freie Fuß kam weiß und leicht zum Vorschein, aber um das Gleichgewicht zu wahren, versenkte er ihn sofort neben dem Schlammloch, in dem der Stiefel verschwunden war.

Der Alte und sein Gefährte halfen ihm heraus.

»Mein Stiefel. Sucht mir meinen Stiefel«, befahl er.

»Wir haben Ihnen doch gesagt, daß sie Sie nur behindern werden. Der taucht nicht mehr auf. Laufen Sie wie wir, treten Sie auf die herumliegenden Äste. Barfuß laufen Sie viel bequemer, und wir kommen schneller voran.«

Wütend kniete sich der Bürgermeister hin und versuchte, den Schlamm mit den Händen beiseite zu schaufeln. Ganz umsonst. Sooft er auch eine Handvoll dunkler, tropfender

Masse beiseite warf, gelang es ihm nicht, die Oberfläche zu verändern.

»An Ihrer Stelle würde ich das nicht tun. Wer weiß, was für Viecher dort unten gemütlich schlafen«, bemerkte einer.

»Genau. Skorpione zum Beispiel. Sie graben sich ein, bis die Regenfälle vorbei sind, und sie haben es gar nicht gern, wenn man sie stört. Sie sind verdammt reizbar«, fügte der Alte hinzu.

Immer noch kniend schaute der Bürgermeister sie haßerfüllt an.

»Ihr glaubt doch nicht, daß ich diesen Blödsinn schlucke? Wollt ihr mich mit Altweibergeschwätz erschrecken?«

»Nein, Exzellenz. Warten Sie mal.«

Der Alte schnitt einen Ast ab, spaltete ein Ende zur Gabel auf und stach damit mehrmals in den blasenwerfenden Schlamm. Schließlich zog er ihn heraus, säuberte ihn behutsam mit der Machete, und zu Boden fiel ein ausgewachsener Skorpion. Das Insekt war schlammbedeckt, ließ aber dennoch seinen aufgerichteten Giftschwanz sehen.

»Sehen Sie? Und da Sie so viel schwitzen, sind Sie so schön salzig eine wahre Verlockung für diese Viecher.«

Der Bürgermeister antwortete nicht. Den Blick starr auf den Skorpion gerichtet, der gerade versuchte, wieder in die Ungestörtheit des Morasts zu versinken, zog er den Revolver und feuerte alle sechs Schüsse auf das Insekt ab. Dann zog er den anderen Stiefel aus und warf ihn ins Blattwerk.

Als der Dicke barfuß war, kamen sie schneller voran. Bergauf verloren sie allerdings immer Zeit. Alle kletterten mühelos hinauf und hielten dann an, um dem Bürgermeister zuzusehen, der auf allen vieren zwei Meter vorwärtskroch und vier zurückrutschte.

»Treten Sie mit dem Arsch auf, Exzellenz. Sehen Sie, wie wir es machen. Machen Sie die Beine ganz breit, bevor Sie den Fuß aufsetzen. Sie machen sie nur bis zu den Knien auf.

Sie laufen wie eine Nonne, die an einem Hahnenkampfplatz vorbeigeht. Machen Sie die Beine ganz breit und treten Sie mit dem Arsch auf«, riefen sie ihm zu.

Mit wutroten Augen versuchte der Dicke, auf seine Weise hinaufzukommen, aber sein unförmiger Körper ließ ihn ein ums andere Mal im Stich, bis die Männer eine Kette bildeten und ihn hinaufzogen.

Der Abstieg ging jedesmal schnell. Der Bürgermeister rutschte entweder sitzend, auf dem Rücken oder auf dem Bauch liegend herunter. Er kam immer als erster an, von oben bis unten mit Schlamm und Pflanzenresten bedeckt.

Am Nachmittag zogen neue, dicke Regenwolken am Himmel auf. Sie konnten sie nicht sehen, aber sie ahnten sie in der Dunkelheit, die den Urwald undurchdringlich machte.

»Wir können nicht weiter. Man sieht nichts mehr«, sagte der Bürgermeister.

»Das klingt vernünftig«, erwiderte der Alte.

»Gut, dann bleiben wir also hier«, ordnete der Bürgermeister an.

»Sie und die anderen bleiben. Ich gehe und suche einen sicheren Platz. Es dauert nicht lange. Raucht, damit ich leichter zurückfinde«, sagte der Alte und gab einem der Männer sein Gewehr.

Der Alte verschwand, von der Dunkelheit verschluckt, und die Männer warteten, während sie ihre Zigaretten aus hartem Blatt rauchten und sie in der hohlen Hand bargen.

Es dauerte nicht lange, bis er ein ebenes Gelände gefunden hatte. Er erkundete es, indem er es mit Schritten ausmaß und mit der Klinge der Machete die Beschaffenheit der Vegetation prüfte. Plötzlich warf die Machete einen metallischen Klang zurück, und der Alte atmete zufrieden auf. Sich am Tabakgeruch orientierend, kehrte er zur Gruppe zurück und teilte den anderen mit, daß er einen Platz zum Übernachten gefunden hatte.

Als die Gruppe den ebenen Platz erreichte, machten sich zwei Männer daran, Blätter von wilden Bananenstauden zu schneiden. Damit deckten sie den Boden ab und setzten sich zufrieden hin, um einen wohlverdienten Schluck Frontera zu trinken.

»Schade, daß wir kein Feuer anzünden können. An einem ordentlichen Feuer wären wir sicherer«, beklagte sich der Bürgermeister.

»Es ist besser so«, meinte einer der Männer.

»Das gefällt mir nicht. Die Dunkelheit gefällt mir nicht. Sogar die Wilden schützen sich mit Feuer«, widersprach der Bürgermeister.

»Sehen Sie, Exzellenz, wir sind an einem sicheren Ort. Wir können das Raubtier, wenn es in der Nähe sein sollte, nicht sehen, und es kann uns nicht sehen. Durch ein Feuer würden wir ihm nur die Gelegenheit geben, uns zu entdekken, und wir selbst könnten es nicht sehen, weil uns das Feuer blenden würde. Beruhigen Sie sich und versuchen Sie zu schlafen. Wir brauchen alle etwas Schlaf. Und vor allen Dingen sollten wir jetzt nicht mehr reden.«

Die Männer stimmten den Worten des Alten zu, und nach einer kurzen Besprechung wurden die Wachen eingeteilt. Der Alte würde die erste übernehmen und dann seine Ablösung aufwecken.

Die Müdigkeit vom Fußmarsch übermannte die Männer bald. Sie schliefen zusammengekauert, hatten die Arme um ihre Beine geschlungen und die Gesichter mit den Hüten bedeckt. Ihr ruhiges Atmen unterbrach nicht das Geräusch des Regens.

Antonio José Bolívar saß mit gekreuzten Beinen, den Rücken an einen Baumstamm gelehnt. Er strich ab und zu über die Klinge der Machete und horchte aufmerksam auf die Geräusche des Urwalds. Das wiederholte Aufklatschen eines großen Körpers, der ins Wasser fiel, sagte ihm, daß sie sich in der Nähe eines Flußarms oder eines hochwasserführenden Bachs befanden. In der Regenzeit riß der Platzregen Tausende von Insekten von den Ästen, und die Fische veranstalteten ein Festmahl. Satt und zufrieden sprangen sie vor Freude in die Höhe.

Er erinnerte sich daran, wie er das erste Mal einen echten Flußfisch gesehen hatte. Es lag schon viele Jahre zurück. Es war, als er noch ein Lehrling im Urwald gewesen war.

Eines Nachmittags auf der Jagd stellte er fest, daß sein Körper vom vielen Schwitzen säuerlich stank, und als er an einen Bach kam, schickte er sich an, hineinzuspringen. Das Glück wollte es, daß ein Shuara ihn rechtzeitig entdeckte und zurückrief.

»Spring nicht. Es ist gefährlich.«

»Piranhas?«

Der Shuara verneinte. Die Piranhas versammeln sich in ruhigen, tiefen Gewässern, niemals in starker Strömung. Es sind langsame Fische, die nur Geschwindigkeit entwickeln, wenn Hunger oder Blutgeruch sie treibt. Mit den Piranhas hatte er nie Probleme gehabt. Er hatte von den Shuara gelernt, daß man sich nur den Körper mit Kautschukmilch einzureiben braucht, um sie zu verjagen. Die Kautschukmilch juckt, brennt und droht die Haut abzulösen, aber der Juckreiz vergeht, wenn man mit dem kühlen Wasser in Berührung kommt, und die Piranhas nehmen Reißaus, sobald sie den Geruch wittern.

»Schlimmer als Piranhas«, sagte der Shuara und forderte ihn auf, der Bewegung seiner Hand zu folgen, die auf die Oberfläche des Bachs deutete. Er sah einen dunklen, über einen Meter langen Schatten, der sich schnell bewegte.

»Was ist das?«

»Ein Bagrewels.«

Ein riesiger Fisch. Später fing er einige Exemplare, die bis zu zwei Meter groß und mehr als siebzig Kilo schwer waren, und er lernte auch, daß sie harmlos, aber tödlich freundlich waren.

Wenn sie einen Menschen erblickten, schwammen sie auf ihn zu, um mit ihm zu spielen, und teilten mit der Schwanzflosse gewaltige, freundschaftliche Schläge aus, die einem leicht das Rückgrat brechen konnten.

Er hörte, wie sich die schweren Schläge auf dem Wasser wiederholten. Vielleicht war es ein Bagrewels, der sich an Termiten, männlichen Käfern, Gottesanbeterinnen, Heuschrecken, Grillen, Spinnen oder dünnen fliegenden Schlangen, die vom Regen mitgerissen wurden, sattfraß.

Es war ein lebendiges Geräusch inmitten der Dunkelheit. Es war, wie die Shuara sagen. Tagsüber gibt es den Menschen und den Urwald. Nachts ist der Mensch Urwald.

Er hörte ihm zufrieden zu, bis es sich nicht mehr wiederholte.

Die Ablösung kam zu früh. Der Mann ließ die Knochen knacken, als er sich streckte, und kam zu ihm.

»Ich hab genug geschlafen. Los, leg dich auf mein Bett. Ich hab es dir vorgewärmt.«

»Ich bin nicht müde. Ich schlafe lieber, sobald es hell wird.«

»Irgend etwas sprang im Wasser, stimmt's?«

Der Alte wollte ihm gerade von den Fischen erzählen, als ein anderes Geräusch ans dem Dickicht drang und ihn unterbrach.

»Hast du das gehört?«

»Still. Still.«

»Was kann das sein?«

»Ich weiß nicht. Aber es ist ziemlich schwer. Weck die anderen auf, aber leise.«

Der Mann war noch nicht aufgestanden, da sahen sich beide schon von einem Silberschlitz angegriffen, der auf die feuchte Vegetation traf, die den blendenden Effekt noch steigerte.

Es war der Bürgermeister, der durch den Lärm aufgeschreckt worden war und sich mit brennender Taschenlampe näherte.

»Machen Sie das aus«, befahl der Alte energisch, ohne die Stimme zu heben.

»Weshalb? Da ist etwas, und ich will wissen, was«, antwortete der Dicke und bewegte die Lichtflut nach allen Seiten, während er gleichzeitig den Revolver entsicherte.

»Ich habe gesagt, Sie sollen dieses Scheißding ausmachen.« Der Alte schlug ihm die Taschenlampe aus der Hand.

»Was fällt dir ein . . .«

Die Worte des Dicken wurden von einem heftigen Flügelschlagen erstickt, und eine stinkende Kaskade fiel auf die Gruppe nieder.

»Das haben Sie großartig gemacht. Wir müssen sofort von hier weg, bevor die Ameisen kommen und uns die frische Scheiße streitig machen.«

Der Bürgermeister wußte nicht, wie er reagieren sollte. Blindlings tastete er nach der Taschenlampe, und blindlings folgte er der Gruppe, die ihr Nachtlager verließ.

Die Männer verwünschten die Dummheit des Dicken mit erstickten Flüchen, so daß er die Heftigkeit der Beleidigungen nicht hören konnte.

Sie liefen bis zu einer Waldlichtung, wo der Platzregen ungehindert auf sie niederfiel.

»Was ist passiert? Was war das?« fragte der Dicke, als er stehenblieb.

»Scheiße. Riechen Sie's nicht?«

»Ich weiß, daß das Scheiße ist. Haben wir unter einer Affenhorde gelegen?«

Ein schwaches Licht machte die Umrisse der Männer und des Urwalds um sie herum sichtbar.

»Falls es Ihnen etwas nützt, Exzellenz: Wenn man im Urwald übernachtet, sollte man es unter einem verbrannten oder versteinerten Baum tun. Dort hängen die Fledermäuse, das beste Alarmsignal, das es hier gibt. Die Tierchen wollten gerade in entgegengesetzter Richtung zum Geräusch, das wir gehört haben, wegfliegen, und so hätten wir gewußt, wo es herkam. Aber Sie mit Ihrem blöden Licht und Ihrem Geschrei haben sie erschreckt, und sie haben Scheiße auf uns regnen lassen. Sie sind wie alle Nagetiere sehr empfindlich, und beim kleinsten Anzeichen von Gefahr entleeren sie ihren Darm, um Gewicht zu verlieren. Los, reiben Sie sich den Kopf gut ab, wenn Sie nicht wollen, daß die Mücken Sie auf-fressen.«

Der Bürgermeister tat es den übrigen Männern gleich und entfernte die stinkenden Exkremente. Als sie damit fertig waren, war es bereits hell genug, um den Marsch fort-zusetzen.

Sie liefen drei Stunden, immer Richtung Osten, überwan-den dabei steigende Bäche, Schluchten und Waldlichtungen, wo sie mit offenem Mund zum Himmel hochblickten, um das frische Wasser aufzufangen, und als sie an einen Teich kamen, machten sie halt, um etwas zu essen.

Sie sammelten Früchte und Krebse, die sich der Dicke roh zu essen weigerte. Der Dicke, der in seinem Regenmantel aus blauem Gummi steckte, zitterte vor Kälte und jammerte immer noch darüber, kein Feuer anzünden zu können.

»Es ist nicht mehr weit«, sagte einer.

»Ja. Aber wir werden einen Umweg machen, um von der anderen Seite zu kommen. Es wäre leicht, uns am Ufer entlang von vorne zu nähern, aber ich denke, daß das Tier klug ist und uns eine Überraschung bereiten könnte«, be-stimmte der Alte.

Die Männer stimmten ihm zu und spülten das Essen mit ein paar Schlucken Frontera hinunter.

Als sie sahen, daß der Dicke sich etwas entfernte und hin-ter einem Busch verbarg, stießen sie einander in die Rippen.

»Ihro Gnaden will uns seinen Arsch nicht zeigen.«

»Der ist so dumm, daß er sich noch auf einen Ameisen-haufen setzt, weil er glaubt, das ist eine Latrine.«

»Ich wette, daß er nach Papier schreit, um sich abzuwischen«, brachte ein anderer unter Lachen hervor.

Sie amüsierten sich hinter dem Rücken der Schleim-schnecke, wie sie ihn in seiner Abwesenheit immer nannten. Das Lachen wurde unterbrochen, zunächst vom entsetzten Schrei des Dicken und gleich darauf durch eine Reihe eiliger Schüsse. Sechs Schüsse aus dem großzügig geleerten Revolver.

Der Bürgermeister erschien, sich die Hosen hochziehend und laut nach ihnen rufend.

»Kommt her! Kommt her! Ich hab es gesehen. Es stand hinter mir und wollte mich angreifen. Ich habe ihm anscheinend ein paar Kugeln verpaßt. Kommt alle suchen!«

Sie luden die Gewehre und stürzten in die Richtung, die der Dicke ihnen gewiesen hatte. Einer deutlichen Blutspur folgend, die die Euphorie des Bürgermeisters noch steigerte, fanden sie schließlich ein herrliches Tier mit langgestreckter Schnauze, das in den letzten Zügen lag. Das schöne gelbgefleckte Fell färbte sich mit Blut und Schlamm. Das Tier sah sie mit weit aufgerissenen Augen an, und aus seiner Trompetenschnauze entwich ein schwaches Hecheln.

»Das ist ein Honigbär. Warum schauen Sie nicht erst, bevor Sie mit Ihrem verdammten Spielzeug feuern? Es bringt Unglück, einen Honigbären zu töten. Das weiß sogar der Dümmste. Im ganzen Urwald gibt es kein harmloseres Tier.«

Die Männer schüttelten die Kopf, gerührt vom Schicksal des Tiers, und der Dicke lud seine Waffe wieder, ohne daß ihm etwas zu seiner Verteidigung einfiel.

Die Mittagszeit war vorüber, als sie das ausgebleichte Al-kaseltzer-Schild entdeckten, das den Stand von Miranda auswies. Es war ein rechteckiges, blaues Blechschild mit kaum lesbaren Lettern, das der Händler ganz oben an den Baum genagelt hatte, der neben seiner Hütte stand.

Sie fanden den Siedler wenige Meter vom Eingang der Hütte entfernt. Der Rücken war durch zwei Prankenhiebe aufgerissen, die an den Schulterblättern begannen und bis zur Gürtellinie reichten. Die schreckliche offene Halswunde ließ die Halswirbel sehen.

Der Tote lag auf dem Bauch und hielt immer noch eine Machete in der Hand.

Die Männer ignorierten die architektonische Meisterleistung der Ameisen, die während der Nacht eine Brücke aus Blättern und kleinen Zweigen gebaut hatten, um die Leiche zu zerlegen, und schleiften sie zum Stand. Drinnen brannte eine Karbidlampe mit schwachem Schein, und es stank nach verbranntem Fett.

Als sie sich dem Kerosinkocher näherten, entdeckten sie die Quelle des Gestanks. Das Gerät war noch warm. Es hatte den Brennstoff bis auf den letzten Tropfen verbraucht und dann die Dochte verbrannt. In einer Pfanne lagen noch zwei verkohlte Leguanschwänze.

Der Bürgermeister musterte die Leiche.

»Ich versteh das nicht. Miranda hatte Erfahrung und war ganz bestimmt kein Angsthase, aber anscheinend war er so in Panik, daß er nicht einmal daran dachte, den Kocher auszumachen. Warum hat er sich nicht eingesperrt, als er die Katze hörte? Dort hängt das Gewehr. Warum hat er es nicht benutzt?«

Die anderen stellten sich ähnliche Fragen. Der Bürgermeister entledigte sich seines Gummimantels, und ein Wasserfall von aufgestautem Schweiß durchnäßte ihn von Kopf bis Fuß.

Den Toten betrachtend rauchten und tranken sie, einer machte sich an die Reparatur des Kochers, und mit Erlaubnis des Dicken machten sie ein paar Sardinenbüchsen auf.

»Er war kein schlechter Kerl«, sagte einer.

»Nachdem ihn seine Frau sitzengelassen hatte, lebte er einsamer als ein Blindenstock«, fügte ein anderer hinzu.

»Hatte er Verwandte?« fragte der Bürgermeister.

»Nein. Er kam mit einem Bruder hierher, aber der starb vor mehreren Jahren an Malaria. Die Frau brannte mit einem umherziehenden Fotografen durch, und man sagt, daß sie jetzt in Zamora lebt. Vielleicht weiß der Kapitän, wo sie ist.«

»Ich vermute, daß der Stand ihm einigen Gewinn einbrachte. Wißt ihr, was er mit dem Geld machte?« schaltete sich der Dicke von neuem ein.

»Geld? Er brachte es beim Kartenspiel durch und ließ gerade nur das Nötigste übrig, um die Ware einkaufen zu können. Das ist hier so üblich, falls Sie es noch nicht wissen sollten. Es ist der Urwald, der in uns hineinkriecht. Wenn wir kein festes Ziel haben, das wir erreichen wollen, drehen wir uns ständig im Kreis.«

Die Männer stimmten mit einer Art perversen Stolzes zu. In diesem Moment trat der Alte ein.

»Draußen liegt noch eine Leiche.«

Sie gingen eilig hinaus, und, augenblicklich vom Regen durchnäßt, fanden sie den zweiten Toten. Er lag mit heruntergelassener Hose auf dem Rücken. Er wies die Krallenspuren auf den Schultern auf, und der offene Hals zeigte Merkmale, die vertraut zu werden begannen. Neben der Leiche sagte die Machete, die in kurzer Entfernung in der Erde steckte, daß sie nicht mehr benutzt worden war.

»Ich glaube, ich verstehe es«, sagte der Alte.

Sie umringten den Körper, und im Blick des Bürgermeisters sahen sie, wie der Dicke sich fieberhaft bemühte, zur gleichen Erklärung zu gelangen.

»Der Tote ist Plascencio Puñán, ein Typ, der sich nicht oft blicken ließ. Anscheinend wollten sie zusammen essen. Haben Sie die verbrannten Leguanschwänze gesehen? Die hat Plascencio mitgebracht. Diese Tiere gibt es hier nicht, er muß sie wohl mehrere Tagesmärsche waldeinwärts gefangen haben. Sie haben ihn nicht gekannt. Er war Steinklopfer. Er war nicht hinter dem Gold her wie die meisten Verrückten, die in diese Gegend kommen. Er versicherte, daß man tief im Urwald Smaragde finden könnte. Ich erinnere mich, gehört zu haben, wie er über Kolumbien und über die faustgroßen grünen Steine sprach. Armer Kerl. Irgendwann spürte er das Bedürfnis, den Darm zu entleeren, und ging hinaus. So hat ihn das Tier erwischt. Hingehockt und auf die Machete gestützt. Man merkt, daß es ihn von vorn angegriffen hat, ihm die Krallen in die Schultern und die Zähne in die Gurgel geschlagen hat. Miranda muß wohl die Schreie gehört und den schlimmsten Teil von allem mit angesehen haben, dann hat er sich nur noch darum gesorgt, den Esel zu satteln und abzuhauen. Er ist nicht sehr weit gekommen, wie wir gesehen haben.«

Einer der Männer drehte die Leiche um. An ihrem Rücken klebten Reste von Exkrementen.

»Wenigstens hat er noch scheißen können«, sagte der Mann, und sie ließen die Leiche auf dem Bauch liegen, damit der unerbittliche Regen die Überreste seines letzten Akts auf dieser Welt abwusch.

# ACHT

Den Rest des Nachmittags verwendeten sie auf die Toten. Sie wickelten sie in Mirandas Hängematte, einander zugewandt, damit sie nicht als Fremde in die Ewigkeit traten, nähten dann das Leichentuch zu und banden vier große Steine an die Spitzen.

Sie schleiften das Bündel zu einem nahe gelegenen Sumpf, hoben es hoch und warfen es mit Schwung zwischen die Binsen und Sumpfrosen. Das Bündel ging blubbernd unter und riß dabei Pflanzen und überraschte Frösche mit.

Sie kehrten zum Verkaufsstand zurück, als die Dunkelheit vom Urwald Besitz ergriff, und der Dicke teilte die Wachen ein.

Zwei Männer würden Wache halten, um nach vier Stunden von den anderen beiden abgelöst zu werden. Er selbst würde ohne Unterbrechungen bis zur Morgendämmerung schlafen.

Bevor sie schlafen gingen, kochten sie Reis mit Bananenscheiben, und nach dem Abendessen säuberte Antonio José Bolívar sein künstliches Gebiß, bevor er es in sein Taschentuch wickelte. Seine Begleiter sahen ihn einen Moment zögern und waren überrascht, als er das Gebiß erneut einsetzte.

Da er für die erste Wache eingeteilt worden war, nahm der Alte die Karbidlampe an sich.

Sein Kamerad, der mit ihm Wache hielt, sah verwundert zu, wie er mit der Lupe die auf den Buchseiten angeordneten Zeichen entlangfuhr.

»Stimmt es, daß du lesen kannst, Compadre?«

»Ein bißchen.«

»Und was liest du gerade?«

»Einen Roman. Aber halt den Mund. Wenn du redest, zittert die Flamme, und mir zittern die Buchstaben.«

Der andere zog sich zurück, um nicht zu stören, aber die Aufmerksamkeit, die der Alte dem Buch widmete, war so groß, daß er es nicht aushielt, abseits zu stehen.

»Wovon handelt es?«

»Von der Liebe.«

Bei der Antwort des Alten näherte sich der andere mit erneutem Interesse.

»Das gibt's doch nicht. Mit tollen, heißen Weibern?«

Der Alte klappte unvermittelt das Buch zu und brachte dabei die Lampe zum Flackern.

»Nein. Es geht um die andere Liebe. Die, die weh tut.«

Der Mann war enttäuscht. Er zuckte mit den Schultern und ging weg. Herausfordernd nahm er einen kräftigen Schluck Schnaps, zündete sich eine Zigarette an und begann, das Blatt der Machete zu schärfen.

Er rieb mit dem Stein darüber, spuckte auf das Metall, rieb wieder und, prüfte die Schärfe mit der Fingerkuppe.

Der Alte blieb bei seiner Sache, ohne sich vom kratzenden Geräusch des Steins auf dem Stahl stören zu lassen, und murmelte die Worte vor sich hin, als ob er betete.

»Los. Lies ein bißchen lauter.«

»Im Ernst? Interessiert es dich?«

»Na und ob. Einmal war ich im Kino, in Loja, und hab einen mexikanischen Film gesehen, einen Liebesfilm. Was soll ich sagen, Compadre. Was ich da geheult habe.«

»Dann muß ich dir von Anfang an vorlesen, damit du weißt, wer die Guten und wer die Bösen sind.«

Antonio José Bolívar kehrte zur ersten Seite des Buches zurück. Er hatte sie mehrmals gelesen und konnte sie auswendig.

»Paul küßte sie mit brennender Leidenschaft, während der Gondoliere, Komplize der Abenteuer seines Freundes, in eine andere Richtung zu blicken vorgab und die mit weichen Kissen ausgelegte Gondel leise durch die venezianischen Kanäle glitt.«

»Nicht so schnell, Compadre«, sagte eine Stimme.

Der Alte sah auf. Die drei Männer umringten ihn. Der Bürgermeister lag in einiger Entfernung auf einem Bündel Säcke.

»Manche Wörter kenne ich nicht«, bemerkte der, der zuvor gesprochen hatte.

»Verstehst du sie alle?« fragte ein anderer.

Daraufhin machte sich der Alte auf seine Weise an eine Erklärung der unbekannten Begriffe.

Die Sache mit dem Gondoliere, der Gondel und dem Küssen mit brennender Leidenschaft wurde nach einigen Stunden des Meinungsaustausches, der gespickt war mit pikanten Anekdoten, halbwegs geklärt. Aber das Geheimnis einer Stadt, in der die Leute Boote brauchten, um sich fortzubewegen, verstanden sie überhaupt nicht.

»Wer weiß, vielleicht haben sie viel Regen.«

»Oder Flüsse, die aus dem Flußbett treten.«

»Sie leben bestimmt noch nasser als wir.«

»Stellt euch das mal vor. Man kippt ein paar Schnäpse, dann will man rausgehen, um zu pinkeln, und was sieht man? Die Nachbarn, die einen mit Fischgesichtern anglotzen.«

Die Männer lachten, rauchten, tranken. Der Bürgermeister wälzte sich verärgert auf seinem Lager.

»Damit ihr's wißt: Venedig ist eine Stadt, die in einer Lagune gebaut ist. Und sie liegt in Italien«, knurrte er schlaflos aus seinem Winkel.

»Na so was. Das heißt, die Häuser schwimmen wie Flöße«, meinte einer.

»Wenn das so ist, wozu brauchen sie dann Boote? Sie

könnten doch auf den Häusern fahren wie auf Schiffen«, meinte ein anderer.

»Ihr seid vielleicht Idioten. Es sind feste Häuser. Es gibt sogar Paläste, Kathedralen, Schlösser, Brücken und Straßen für die Leute. Die Häuser haben alle ein Steinfundament«, erklärte der Dicke.

»Woher wissen Sie das? Waren Sie schon mal dort?« fragte der Alte.

»Nein. Aber ich bin gebildet. Ich bin schließlich nicht umsonst Bürgermeister.«

Die Erklärung des Dicken machte alles nur noch komplizierter.

»Wenn ich Sie richtig verstanden habe, Exzellenz, dann haben diese Leute schwimmende Steine, wie Bimssteine müssen die sein, aber selbst wenn man ein Haus aus Bimssteinen baut, schwimmt es nicht, nein, nein. Sicher legen sie Bretter drunter.«

Der Bürgermeister griff sich an den Kopf.

»Seid ihr Idioten. Mann, seid ihr Idioten. Denkt doch, was ihr wollt. Ihr seid vom Urwalddenken angesteckt. Euch treibt nicht mal der Herrgott eure idiotischen Ideen aus. Ach. Und noch etwas. Ihr hört gefälligst auf damit, mich Exzellenz zu nennen. Seit ihr es vom Zahnarzt gehört habt, krallt ihr euch an diesem Wörtchen fest.«

»Wie sollen wir Sie denn sonst nennen? Zum Richter muß man Euer Gnaden sagen, zum Priester Eminenz, und Sie müssen wir schließlich auch irgendwie anreden, Exzellenz.«

Der Dicke wollte etwas erwidern, aber ein Zeichen des Alten hielt ihn zurück. Die Männer verstanden, griffen zu den Waffen, löschten die Lampe und warteten ab.

Von draußen kam das leise Geräusch eines Körpers, der sich vorsichtig bewegte. Die Tritte verursachten keinen Laut, aber der Körper drückte sich dicht an die niedrigen Büsche und Pflanzen. Dabei hinderte er das Wasser daran abzufließen, und sobald er weiterging, floß das aufgestaute Wasser erneut in Strömen ab.

Der umherschleichende Körper zog einen Halbkreis um die Hütte des Händlers. Der Bürgermeister kroch auf allen vieren zum Alten.

»Das Tier?«

»Ja. Und es hat uns gewittert.«

Der Dicke richtete sich plötzlich auf. Trotz der Dunkelheit erreichte er die Tür und leerte den Revolver, indem er blindlings in das Dickicht schoß.

Die Männer zündeten die Lampe an. Sie schüttelten wortlos den Kopf und sahen auf den Bürgermeister, der die Waffe wieder lud.

»Euretwegen ist es mir entwischt. Weil ihr die ganze Nacht Blödsinn geredet habt wie die Memmen, anstatt Wache zu halten.«

»Man merkt, wie gebildet Sie sind, Exzellenz. Das Tier hatte alles gegen sich. Wir hätten es nur herumlaufen lassen müssen, bis wir hätten abschätzen können, in welcher Entfernung es war. Noch zweimal auf und ab, und wir hätten es in Schußweite gehabt.«

»Klar. Ihr wißt auf alles eine Antwort. Vielleicht habe ich es ja getroffen«, rechtfertigte sich der Dicke.

»Gehen Sie nachsehen, wenn Sie wollen. Und sollte Sie eine Mücke angreifen, schießen Sie nicht auf sie. Sonst verjagen Sie auch noch unseren Schlaf.«

In der Morgendämmerung nutzten sie das fahle Licht, das durch das Dach des Waldes drang, und gingen hinaus, um die Umgebung abzusuchen. Der Regen konnte die Spuren zerdrückter Pflanzen, die das Tier hinterlassen hatte, nicht verwischen. Es war kein Blut im Blattwerk zu sehen, und die Spuren verloren sich in der Tiefe des Urwalds.

Sie kehrten zur Hütte zurück und tranken schwarzen Kaffee.

»Am allerwenigsten gefällt mir, daß das Tier weniger als fünf Kilometer von El Idilio entfernt umherstreicht. Wie lange braucht ein Ozelot, um diese Entfernung zurückzulegen?« fragte der Bürgermeister.

»Nicht so lang wie wir. Es hat vier Beine, kann über die Pfützen springen und hat keine Stiefel an«, antwortete der Alte.

Der Bürgermeister verstand, daß er sich bei den Männern schon zu sehr in Mißkredit gebracht hatte. Noch länger beim Alten zu bleiben, der sich mit seinen bissigen Bemerkungen aufspielte, würde seinen Ruf als Idiot und gar als Feigling nur verstärken.

Er fand ein Argument, das logisch klang und ihm auch noch den Rücken deckte.

»Treffen wir ein Abkommen, Antonio José Bolívar. Du bist der Erfahrenste im Urwald. Du kennst ihn besser als dich selbst. Wir halten dich nur auf, Alter. Spür das Tier auf und töte es. Der Staat zahlt dir fünftausend Sucres, wenn du es schaffst. Du bleibst hier und machst es so, wie du es für richtig hältst. Währenddessen gehen wir zurück, um die Siedlung zu schützen. Fünftausend Sucres. Was hältst du davon?«

Der Alte hörte sich den Vorschlag des Dicken an, ohne mit der Wimper zu zucken.

Nach El Idilio zurückzukehren war eigentlich das einzig Vernünftige. Auf seiner Menschenjagd würde das Tier nicht lange brauchen, um die Siedlung zu erreichen, und dort wäre es leicht, ihm eine Falle zu stellen. Die Katze würde notwendigerweise neue Opfer suchen, und es war unsinnig, ihr das eigene Gebiet streitig machen zu wollen.

Der Bürgermeister wollte ihn loswerden. Mit seinen spitzen Bemerkungen verletzte er dessen Prinzipien eines autoritären Leittiers, und er hatte damit einen eleganten Dreh gefunden, um ihn loszuwerden.

Den Alten interessierte es wenig, was der schwitzende

Dicke denken mochte. Ihn interessierte auch die ausgesetzte Belohnung nicht. Ihm gingen andere Gedanken im Kopf herum.

Irgend etwas sagte ihm, daß das Tier nicht weit war. Vielleicht beobachtete es sie in diesem Augenblick, und erst jetzt begann er sich zu fragen, warum ihm keines der Opfer leid tat. Wahrscheinlich befähigte ihn sein früheres Leben bei den Shuara, in diesen Toden einen Akt der Gerechtigkeit zu sehen. Ein grausames, aber unvermeidliches Auge um Auge.

Der Gringo hatte ihre Jungen und vielleicht sogar das Männchen umgebracht. Andererseits ließ ihn das Verhalten der Katze vermuten, daß sie den Tod suchte, indem sie den Menschen gefährlich nahe kam, wie sie es in der vorigen Nacht getan hatte, und zuvor, als sie Plascencio und Miranda getötet hatte.

Ein unbekanntes Gesetz sagte ihm, daß es ein notwendiger Akt der Gnade war, sie zu töten, was allerdings nichts mit jener Gnade zu tun hatte, die von denen verschwendet wird, die es sich leisten können, zu verzeihen und sie zu schenken. Das Tier suchte die Gelegenheit, Auge in Auge zu sterben, in einem Zweikampf, den weder der Bürgermeister noch einer der anderen Männer verstehen würde.

»Was hältst du nun davon, Alter?« wiederholte der Bürgermeister.

»Einverstanden. Aber Sie müssen mir Zigaretten, Streichhölzer und mehr Munition geben.«

Der Bürgermeister atmete erleichtert auf, als er die Zusage erhielt, und gab ihm das Geforderte.

Die Gruppe hielt sich nicht allzulang damit auf, die Einzelheiten des Rückmarschs vorzubereiten. Die Männer verabschiedeten sich, und Antonio José Bolívar machte sich daran, die Tür und das Fenster der Hütte zu sichern.

Am späten Nachmittag dämmerte es, und während er im trüben Licht der Lampe wartete, nahm er die Lektüre wieder auf, umgeben von den Geräuschen des Wassers, das durch das Blattwerk rann.

Der Alte ging die Seiten noch einmal von Anfang an durch. Es ärgerte ihn, daß er sich der Handlung nicht bemächtigen konnte. Er wiederholte die auswendig gelernten Sätze, und sie kamen sinnentleert aus seinem Mund. Seine Gedanken wirbelten in alle Richtungen und suchten einen Punkt, an dem sie sich hätten festhalten können.

»Vielleicht habe ich Angst.«

Er erinnerte sich an eine Redensart der Shuara, die besagte, man solle sich vor der Angst verstecken, und er löschte die Lampe. Im Dunkeln legte er sich auf die Säcke, das entsicherte Gewehr an die Brust gedrückt, und ließ die Gedanken zur Ruhe kommen, wie Steine, die in ein Flußbett sinken.


Mal sehen, Antonio José Bolívar. Was ist los mit dir?

Es ist nicht das erste Mal, daß du dich einem rasenden Tier gegenübersiehst. Was macht dich ungeduldig? Das Warten? Wäre es dir lieber, es jetzt gleich erscheinen zu sehen, durch die Tür brechend, damit alles schnell über die Bühne geht? So wird es nicht sein. Du weißt, daß kein Tier so dumm ist, in einen fremden Unterschlupf einzudringen. Und weshalb bist du dir so sicher, daß die Katze ausgerechnet dich sucht? Glaubst du nicht, daß das Tier, bei all der Intelligenz, die es bewiesen hat, sich für die Gruppe der Männer entscheiden könnte? Es könnte ihnen folgen und einen nach dem anderen umbringen, bevor sie in El Idilio ankommen. Du weißt, daß das möglich ist, und du hättest sie davor warnen sollen, ihnen sagen sollen: ›Weicht einander keinen Schritt von der Seite. Legt euch nicht schlafen, bleibt nachts wach und immer am Flußufer.‹ Du weißt, daß es selbst dann ein leichtes für das Tier wäre, ihnen aufzulauern, sich mit einem

Sprung auf sie zu stürzen – der erste geht mit offener Gurgel zu Boden –, und bevor sich die übrigen von der Panik erholt hätten, sich wieder zu verstecken und den nächsten Angriff vorzubereiten. Glaubst du, daß die Katze dich als ebenbürtig ansieht? Bilde dir doch nichts ein, Antonio José Bolívar. Denk daran, daß du kein Jäger bist, daß du diese Bezeichnung immer abgelehnt hast. Die Katzen folgen dem wahren Jäger, dem Geruch nach Angst und Erregung, den die echten Jäger ausströmen. Du bist kein Jäger.

Die Bewohner von El Idilio nennen dich oft den Jäger, und du antwortest, daß das nicht stimmt, denn die Jäger töten, um eine Angst zu besiegen, die sie in den Wahnsinn treibt und innerlich auffrißt. Wie oft hast du die Gruppen fiebriger Gestalten kommen sehen, die schwerbewaffnet in den Urwald zogen? Nach ein paar Wochen tauchen sie wieder auf, bepackt mit den Fellen von Ameisenbären, Fischottern, Honigbären, Boas, Echsen, kleinen Wildkatzen, aber nie mit den Überresten eines wahren Gegners wie diese Katze einer ist, auf die du wartest. Du hast gesehen, wie sie sich neben den Fellbündeln betranken, um die Angst zu überspielen, die ihnen die Gewißheit einflößte, daß der würdige Gegner sie in der Unendlichkeit des Urwalds gewittert, gesehen und verschmäht hatte. Es stimmt, daß es jeden Tag weniger Jäger gibt, da die Tiere über unüberwindliche Gebirgsketten nach Osten gezogen sind, weit weg, so weit, daß die letzte lebende Anakonda auf brasilianischem Gebiet gesichtet wurde. Aber du hast nicht weit von hier Anakondas gesehen und gejagt.

Bei der ersten hatte es sich um einen Akt der Gerechtigkeit oder der Rache gehandelt. Wie du es auch drehst und wendest, du kannst keinen Unterschied feststellen. Das Reptil hatte den Sohn eines Siedlers beim Baden überrascht. Du, hattest den Jungen gern. Er war nicht älter als zwölf, und die Anakonda drückte ihn weich wie einen Wasserbeutel. Weißt du noch, Alter? Im Kanu folgtest du der Spur, bis du das Ufer fandest, wo sie sich sonnte. Dann legtest du mehrere tote Fischottern als Köder aus und wartetest ab. Damals warst du jung und wendig, und du wußtest, daß es von dieser Wendigkeit abhing, dich nicht in ein weiteres Festessen für die Göttin des Wassers zu verwandeln. Es war ein guter Sprung. Die Machete in der Hand. Ein sauberer Schnitt. Der Kopf der Schlange fiel in den Sand, und noch bevor es mit ihr zu Ende ging, sprangst du ins niedrige Pflanzenwerk, um dort Schutz zu suchen, während das Reptil sich wälzte, seinen kräftigen Körper ein ums andere Mal aufbäumte. Elf bis zwölf Meter Haß. Elf bis zwölf Meter blauolivfarbener Haut mit schwarzen Ringen, die zu töten versuchten, indes sie selbst schon tot war.

Bei der zweiten handelte es sich um ein Zeichen der Dankbarkeit gegenüber dem Shuara-Medizinmann, der dir das Leben gerettet hatte. Weißt du noch? Du wiederholtest den Trick, einen Köder am Strand auszulegen, klettertest auf einen Baum und wartetest, bis du sie aus dem Fluß kommen sahst. Dieses Mal geschah es ohne Haß. Du sahst, wie sie die Nagetiere verschluckte, während du den Pfeil vorbereitetest, indem du die scharfe Spitze mit Spinnweben umwickeltest, mit Curare einschmiertest und den Pfeil in das Mundstück des Blasrohrs einführtest. Dann zieltest du auf die Schädelbasis.

Das Reptil wurde vom Pfeil getroffen und bäumte sich auf, fast drei Viertel seines Körpers hob es in die Höhe. Von deinem Baumversteck aus sahst du seine gelben Augen, seine senkrechten Pupillen, seinen Blick, der dich suchte, aber nicht mehr erreichte, denn das Curare wirkte schnell.

Dann folgte die Zeremonie des Ausnehmens, auf fünfzehn, zwanzig Schritte öffnete die Machete den Körper, und sein kaltes, rosafarbenes Fleisch fiel in den Sand.

Weißt du noch, Alter? Als du die Haut überreichtest,

erklärten die Shuara, du seist keiner der Ihren, aber du gehörtest dorthin.

Und die Ozelote sind dir auch nicht fremd, nur daß du nie ein Jungtier getötet hast, weder das eines Ozelots noch das einer anderen Art. Nur ausgewachsene Exemplare, wie es das Gesetz der Shuara bestimmt. Du weißt, daß die Ozelote seltsame, unberechenbare Tiere sind. Sie sind nicht so stark wie die Jaguare, aber dafür stellen sie immer wieder eine feine Intelligenz unter Beweis.

›Wenn sich die Spur zu leicht verfolgen läßt und du dich in Sicherheit wiegst, dann hast du den Ozelot schon im Rücken‹, sagen die Shuara, und es stimmt.

Einmal hattest du auf Betreiben der Siedler die Intelligenz der großen gefleckten Katze erfahren können. Ein überaus kräftiges Exemplar ernährte sich von den Kühen und Lasttieren, und sie baten dich, ihnen zu helfen. Es war eine schwierige Spurensuche. Zuerst ließ sich das Tier verfolgen und lockte dich zu den Ausläufern des Condor-Gebirges, in eine Gegend mit niedrigem Pflanzenwuchs, wie geschaffen für den Hinterhalt auf Bodenhöhe. Als du dich in der Falle sahst, versuchtest du, von dort wegzukommen und in das Dickicht zurückzukehren, aber der Ozelot schnitt dir den Weg ab, zeigte sich, doch ohne dir Zeit zu geben, das Gewehr an die Augen zu heben. Du gabst zwei oder drei Schüsse ab, ohne ihn zu treffen, bis du verstanden hattest, daß das Katzentier dich vor dem endgültigen Angriff ermüden wollte. Es machte dir klar, daß es warten konnte, und vielleicht auch, daß deine Munition knapp wurde.

Es war ein würdiger Kampf. Weißt du noch, Alter? Du wartetest, ohne einen Muskel zu bewegen, gabst dir ab und zu eine Ohrfeige, um den Schlaf zu verscheuchen. Drei Tage des Wartens, bis der Ozelot sich sicher fühlte und zum Angriff überging. Es war ein guter Trick gewesen, mit entsicherter Waffe auf dem Boden zu liegen und zu warten.

Warum erinnerst du dich an all das? Warum erfüllt die Katze deine Gedanken? Vielleicht, weil ihr beide wißt, daß ihr euch ebenbürtig seid? Nach vier Morden weiß sie viel über die Menschen, so viel wie du über die Ozelote. Vielleicht weißt du auch weniger. Die Shuara jagen keine Ozelote. Das Fleisch ist nicht eßbar, und das Fell eines einzigen Tieres reicht aus, um Hunderte von Schmuckstücken zu fertigen, die Generationen überdauern. Die Shuara, würdest du einen von ihnen bei dir haben wollen? Natürlich, deinen Compadre Nushiño.

»Compadre, suchst du mit mir die Spur?«

Der Shuara wird sich weigern. Oft spuckend, damit du weißt, daß er die Wahrheit sagt, wird er dir sein Desinteresse bekunden. Damit hat er nichts zu tun. Du bist der Jäger der Weißen, der, der ein Gewehr hat, der, der den Tod schändet, indem er ihn mit Schmerz vergiftet. Dein Compadre Nushiño wird dir sagen, daß die Shuara nur die faulen Tzanzas töten wollen.

»Weshalb, Compadre? Die Tzanzas tun nichts anderes, als in den Bäumen zu hängen und zu schlafen.«

Bevor er antwortet, wird dein Compadre Nushiño einen lauten Furz fahren lassen, damit kein fauler Tzanza ihn hört, und wird dir sagen, daß es vor langer Zeit einen bösen, blutrünstigen Shuara-Häuptling gab. Er tötete grundlos gute Shuara, und die Alten beschlossen seinen Tod. Als sich Tñaupi, der blutrünstige Häuptling, in die Enge getrieben sah, floh er in Gestalt eines Tzanza-Faulpelzes, und weil diese Affen sich so ähnlich sehen, sei es unmöglich zu wissen, in welchem von ihnen sich der verurteilte Shuara verbirgt. Deshalb muß man sie alle töten.

»Man sagt, so sei es gewesen«, wird Compadre Nushiño sagen und ein letztes Mal ausspucken, bevor er geht; denn die Shuara entfernen sich, wenn sie eine Geschichte zu Ende erzählt haben, um Fragen zu vermeiden, die nur Lügen hervorbringen.

Woher kommen all diese Gedanken? Komm schon, Antonio José Bolívar. Alter. Unter welcher Pflanze lauern sie und greifen dich an? Kann es sein, daß die Angst dich gefunden hat, und daß du nichts mehr tun kannst, um dich zu verstekken? Wenn das so ist, dann können dich die Augen der Angst sehen, genauso, wie du die Lichter der Dämmerung sehen kannst, die durch die Ritzen der Schilfwand hereinschlüpfen.

Nachdem er mehrere Becher schwarzen Kaffee getrunken hatte, widmete er sich den Vorbereitungen. Er schmolz ein paar Kerzen und tauchte die Patronen in den flüssigen Talg. Dann ließ er sie abtropfen, bis sie nur noch von einem dünnen Film überzogen waren. Auf diese Weise würden sie trocken bleiben, selbst wenn sie ins Wasser fielen.

Mit dem Rest des geschmolzenen Talgs rieb er sich die Stirn ein, besonders die Augenbrauen, bis der Talg eine Art Schirm bildete. So würde ihm das Wasser nicht die Sicht nehmen, falls er dem Tier auf einer Waldlichtung begegnete.

Zum Schluß prüfte er die Schärfe der Machete und machte sich dann im Urwald auf Spurensuche.

Zuerst maß er von der Hütte ausgehend einen Radius von zweihundert Schritten in Richtung Osten ab, den Spuren folgend, die sie am Tag zuvor gefunden hatten.

Als er am äußersten Punkt angelangt war, schritt er einen Halbkreis in Richtung Südwesten ab.

An einer Stelle entdeckte er zerknickte Pflanzen, deren Stiele in den Schlamm gedrückt waren. Dort hatte sich das Tier versteckt, bevor es zur Hütte vorgedrungen war. Die Stellen mit geknickten Pflanzen wiederholten sich alle paar Schritte und verloren sich schließlich an einem Waldhang.

Er vergaß diese alten Spuren und suchte weiter.

Unter großen Wildbananenblättern entdeckte er dann die Abdrücke von Tatzen. Es waren große Pranken, etwa so groß wie die Faust eines erwachsenen Mannes, und neben der Trittspur fand er weitere Einzelheiten, die ihm über das Verhalten des Tiers Auskunft gaben.

Die Katze war nicht auf Jagd. Abgebrochene Pflanzenstengel neben den Abdrücken widersprachen dem Jagdstil eines jeden Katzentiers. Die Katze bewegte den Schwanz hin und her, rasend bis zur Unachtsamkeit, erregt von der Nähe der Opfer. Nein. Sie war nicht auf Jagd. Sie bewegte sich in der Gewißheit, sich unterlegenen Arten gegenüberzusehen.

Er stellte sie sich ebendort vor, den mageren Körper, den kurzen, gierigen Atem, die starren, steinernen Augen, die angespannten Muskeln, den sinnlich schlagenden Schwanz.

»Gut, Katze. Jetzt weiß ich, wie du dich bewegst. Jetzt muß ich nur noch herausfinden, wo du bist.«

Er sprach in den Wald hinein, und nur der Regen antwortete ihm.

Er erweiterte seinen Aktionsradius und entfernte sich von der Hütte des Händlers, bis er eine leichte Geländeerhebung erreichte, wo er trotz des Regens einen guten Überblick über das ganze abgesuchte Gebiet hatte. Das Pflanzenwerk wurde niedrig und dicht, im Gegensatz zu den hohen Bäumen, die ihn vor einem Angriff aus Bodenhöhe schützten. Er beschloß, den kleinen Hügel hinunterzusteigen und in gerader Linie Richtung Westen weiterzugehen, auf den Fluß Yacuambi zu, der nicht weit entfernt floß.

Kurz vor Mittag hörte es auf zu regnen, und er wurde unruhig. Es mußte weiterregnen, andernfalls würde die Verdunstung einsetzen und den Urwald in einen dichten Nebel tauchen, in dem er weder atmen noch die Hand vor Augen sehen könnte.

Plötzlich durchlöcherten Millionen von silbernen Nadeln das Blätterdach des Urwalds und tauchten alles in gleißendes Licht. Er befand sich genau unter einem Wolkenloch, geblendet von den Sonnenreflexen, die auf die feuchte Pflanzen fielen. Fluchend rieb er sich die Augen, und umringt von Hunderten von flüchtigen Regenbogen beeilte er sich, von dort wegzukommen, bevor die gefürchtete Verdunstung einsetzte.

Da sah er sie.

Aufgeschreckt von dem Geräusch plötzlich herabfallenden Wassers wandte er sich um und konnte sehen, wie sie sich etwa fünfzig Meter von ihm entfernt in Richtung Süden bewegte.

Sie bewegte sich langsam, mit offener Schnauze, und klopfte sich mit dem Schwanz die Flanken ab. Er schätzte, daß sie vom Kopf bis zur Schwanzspitze gute zwei Meter maß und daß sie auf den Hinterläufen stehend größer war als ein Schäferhund.

Die Katze verschwand hinter einem Busch und ließ sich unmittelbar darauf wieder blicken. Diesmal bewegte sie sich in Richtung Norden.

»Diesen Trick kenne ich. Wenn du mich hier haben willst, gut, dann bleibe ich. In der Dampfwolke kannst du auch nichts sehen«, rief er ihr zu und verschanzte sich, indem er den Rücken gegen einen Baumstamm lehnte.

Die Regenpause rief sofort die Mücken auf den Plan. Für ihre Angriffe suchten sie sich Lippen, Lider und Schrammen aus. Die winzig kleinen »Stäubchen« drangen in die Nasenlöcher, in die Ohren, ins Haar. Schnell steckte er eine Zigarette in den Mund, zerkaute sie und rieb sich mit der speicheligen Paste Gesicht und Arme ein.

Zum Glück dauerte die Pause nicht lang, und es begann mit neuer Kraft zu regnen. Mit dem Regen kehrte die Ruhe zurück. Man hörte das Geräusch des Wassers, das zwischen den Blättern herablief.

Die Katze ließ sich mehrmals sehen, immer auf einer Nord-Süd-Achse hin- und herlaufend.

Der Alte beobachtete sie. Er folgte ihren Bewegungen, um herauszufinden, an welchem Punkt des Dickichts sie die

Kehrtwendung machte, die es ihr ermöglichte, immer zum selben Punkt im Norden zurückzukehren, um den herausfordernden Spaziergang von neuem zu beginnen.

»Hier bin ich. Ich bin Antonio José Bolívar Proaño, und das einzige, was ich im Überfluß besitze, ist Geduld. Du bist ein seltsames Tier. Zweifellos. Ich frage mich, ob dein Verhalten intelligent oder verzweifelt ist. Warum umkreist du mich nicht und unternimmst Scheinangriffe? Warum gehst du nicht nach Osten, damit ich dir folge? Du bewegst dich von Norden nach Süden, drehst nach Osten ab und nimmst deinen Weg wieder auf. Hältst du mich für dumm? Du schneidest mir den Weg zum Fluß ab. Das ist dein Plan. Du willst, daß ich in den Wald hinein fliehe, damit du mich verfolgen kannst. So dumm bin ich nicht, meine Freundin. Und du bist nicht so klug, wie ich dachte.«

Er sah, wie sie sich bewegte, und bei mancher Gelegenheit war er kurz davor zu schießen, aber er tat es nicht. Er wußte, daß der Schuß endgültig und treffsicher sein mußte. Wenn er sie nur verwundete, würde ihm die Katze keine Zeit mehr lassen, die Waffe wieder zu laden, und aufgrund eines Fehlers der Schlagbolzen gingen die beiden Ladungen immer gleichzeitig los.

Die Stunden vergingen, und als das Licht schwächer wurde, merkte er, daß das Spiel des Tiers nicht darin bestand, ihn nach Osten abzudrängen. Es wollte ihn genau dort, an diesem Platz, und wartete auf die Dunkelheit, um ihn anzugreifen.

Der Alte schätzte, daß ihm eine Stunde Licht blieb. Innerhalb dieser Zeit mußte er von dort wegkommen, das Flußufer erreichen und einen sicheren Unterschlupf finden.

Er wartete, bis die Katze eine ihrer Wanderungen Richtung Süden beendet hatte und die Wendung machte, die sie zu ihrem Ausgangspunkt zurückbringen sollte. Dann stürzte er in vollem Lauf auf den Fluß zu.

Er gelangte zu einem alten gerodeten Feld, das ihn Zeit gewinnen ließ, und überquerte es, das Gewehr an die Brust gedrückt. Mit etwas Glück würde er das Flußufer erreichen, bevor die Katze seine Flucht entdeckte. Er wußte, daß er unweit von dort ein verlassenes Goldsucherlager finden würde, wo er sich verstecken könnte.

Er war froh, als er das Hochwasser hörte. Der Fluß war nahe. Er mußte nur noch einen etwa fünfzehn Meter langen, farnbedeckten Abhang hinuntersteigen, um das Ufer zu erreichen, da griff das Tier an.

Die Katze mußte sich so schnell und unauffällig bewegt haben, als sie den Fluchtversuch bemerkt hatte, daß es ihr gelang, unbemerkt parallel zum Alten zu rennen, bis sie auf seiner Höhe war.

Er wurde vom Stoß der Vorderläufe getroffen und rollte den Abhang hinunter.

Benommen kniete er sich hin, schwang die Machete und wartete auf den letzten Angriff.

Oben, am Rand des Abhangs, zuckte die Katze wie rasend mit dem Schwanz. Die kleinen Ohren zitterten, während sie alle Geräusche des Urwalds auffingen. Aber sie griff nicht an.

Überrascht bewegte sich der Alte langsam, bis er das Gewehr wiederhatte.

»Warum greifst du nicht an? Was für ein Spielchen treibst du?«

Er entsicherte das Gewehr und hob es an die Augen. Auf diese Entfernung konnte er sie nicht verfehlen.

Oben wandte das Tier den Blick nicht von ihm ab. Plötzlich brüllte es auf, traurig und müde, und legte sich hin.

Die schwache Antwort des Männchens erreichte ihn ganz aus der Nähe, und es fiel ihm nicht schwer, es zu finden.

Es war kleiner als das Weibchen und lag im Schutz eines hohlen Baumstamms. Sein Fell klebte an den Knochen, und eine Schrotladung hatte ihm einen Hinterlauf fast vom Leib gerissen. Das Tier atmete kaum noch, und der Todeskampf war offensichtlich mit größten Schmerzen verbunden.

»War es das, was du wolltest? Daß ich ihm den Gnadenschuß gebe?« rief der Alte nach oben, und das Weibchen versteckte sich zwischen den Pflanzen.

Er ging zu dem verwundeten Männchen und strich ihm über den Kopf. Das Tier hob kaum ein Lid, und als er die Wunde gründlich untersuchte, sah er, daß die Ameisen begonnen hatten, es aufzufressen.

Er setzte dem Tier den doppelten Gewehrlauf auf die Brust.

»Tut mir leid, mein Freund. Dieser verdammte Hurensohn von einem Gringo hat uns allen das Leben versaut.« Und er schoß.

Er sah das Weibchen nicht, aber er vermutete es oben, versteckt, einer Klage hingegeben, die vielleicht der menschlichen ähnlich war.

Er lud die Waffe und ging unbesorgt weiter, bis er das ersehnte Ufer erreichte. Er hatte an die hundert Meter zurückgelegt, als er sah, daß das Weibchen zum toten Männchen hinunterstieg.

Als er das verlassene Lager der Goldsucher erreichte, war es fast dunkel, und er entdeckte, daß der Regen den Schilfbau umgerissen hatte. Er warf einen kurzen Blick auf die Umgebung und war froh, ein Kanu mit eingerissenem Bauch zu finden, das umgedreht auf dem Strand lag.

Er fand auch einen Sack mit getrockneten Bananenscheiben, füllte seine Taschen damit und kroch unter den Bauch des Kanus. Die Steine auf dem Boden waren so gut wie trocken. Er seufzte erleichtert, als er sich auf den Rücken legte und die Beine ausstreckte, in Sicherheit.

»Wir haben Glück gehabt, Antonio José Bolívar. Bei dem Sturz hätte man sich mehr als einen Knochen brechen können. Was für ein Glück, diese Farnpolster.«

Er legte Gewehr und Machete rechts und links neben sich. Der Bauch des Kanus war hoch genug, um in die Hocke zu gehen, wenn er sich vor- oder rückwärts bewegen wollte. Das Kanu war an die neun Meter lang und hatte mehrere Risse, die von den scharfen Steinen der Stromschnellen stammten.

Als er es sich bequem gemacht hatte, aß er ein paar Handvoll getrockneter Bananen und zündete sich eine Zigarette an, die er mit wahrem Genuß rauchte. Er war sehr müde und schlief nach kurzer Zeit ein.

Er hatte einen seltsamen Traum. Er sah sich selbst, den Körper in den schillernden Farben der Boa bemalt, wie er am Fluß saß und wartete, daß die Wirkung der Natema einsetzte.

Ihm gegenüber bewegte sich etwas in der Luft, im Blattwerk, auf der Oberfläche des stillen Wassers, sogar auf dem Grund des Flusses. Etwas, das anscheinend alle Formen hatte, das sich gleichzeitig aus allen nährte. Es wandelte sich unaufhörlich und erlaubte den geblendeten Augen nicht, sich an eine Form zu gewöhnen. Plötzlich nahm es die Gestalt eines Papageis an, wurde dann zum Bagrewels, der mit offenem Maul sprang und den Mond verschluckte, und als es ins Wasser fiel, geschah es mit der Wucht einer Knochenbrecher-Boa, die sich auf einen Menschen fallen ließ. Dieses Etwas hatte keine klare, definierbare Gestalt, doch welche es auch annahm, es hatte immer die gleichen unwandelbaren gelben leuchtenden Augen.

»Das ist dein eigener Tod, der sich verkleidet, um dich zu überlisten. Er tut es, weil für dich der Augenblick noch nicht gekommen ist, wegzugehen. Jage ihn«, befahl ihm der Shuara-Medizinmann, während er seinen zu Tode erschrockenen Körper mit kalter Asche abrieb.

Und das Wesen mit den gelben Augen bewegte sich in alle Richtungen. Es entfernte sich, bis es von der verschwommenen und immer nahen grünen Linie des Horizonts verschluckt wurde, und als das geschah, nahmen die Vögel ihren

Flug und ihre Botschaft des Wohlergehens und der Fülle wieder auf. Nach einer gewissen Zeit jedoch erschien es wieder, fuhr in einer schwarzen Wolke ungestüm herab, und ein Regen unveränderlicher gelber Augen fiel auf den Urwald nieder und heftete sich an das Astwerk und die Lianen, entzündete den Urwald in einem glühenden Gelb, das ihn erneut in den Wahnsinn der Angst und des Fiebers riß. Er wollte schreien, doch die Nagetiere des Schreckens zerfetzten seine Zunge mit ihren Bissen. Er wollte rennen, aber die dünnen Schlangen wanden sich um seine Beine. Er wollte zu seiner Hütte gelangen und in das Bild hineinkriechen, das ihn neben Dolores Encarnación del Santísimo Sacramento Estupiñán Otavalo zeigte, um diesem Ort des Grauens zu entrinnen. Aber die gelben Augen schnitten ihm den Weg ab, allgegenwärtig, wie in eben diesem Augenblick, als er sie auf dem Kanu spürte, das sich bewegte, das unter dem Gewicht jenes Körpers schwankte, der auf seiner hölzernen Haut lief.

Er hielt den Atem an, um herauszufinden, was geschah.

Nein. Er war nicht mehr im Reich der Träume. Die Katze befand sich tatsächlich über ihm, ging auf und ab, und da das Holz sehr glatt war, geschliffen vom unaufhörlichen Wasser, benutzte das Tier seine Krallen, um sich festzuhalten, während es zwischen Bug und Heck auf und ab lief und ihm das nahe Geräusch seines erregten Atems zutrug.

Das Rauschen des Flusses, der Regen und das Auf und Ab des Tieres waren sein einziger Bezug zum Universum. Das erneute Handeln des Tiers zwang ihn, sein Denken zu beschleunigen. Die Katze hatte bewiesen, daß sie zu intelligent war, um zu erwarten, daß er die Herausforderung annahm und hinausging, um ihr in völliger Dunkelheit entgegenzutreten.

Was war das für eine neue List? Vielleicht stimmte es, was die Shuara in bezug auf den Geruchssinn der Katzen sagten?

»Der Ozelot wittert den Totengeruch, den viele Menschen unwissentlich ausströmen.«

Einige stinkende Tropfen und dann ein ebensolcher Strahl mischten sich mit dem Wasser, das durch die Risse des Kanus drang.

Der Alte stellte fest, daß das Tier verrückt geworden war. Es pißte ihn an. Es markierte ihn als seine Beute, noch bevor es ihn überhaupt angegriffen hatte.

So vergingen lange, undurchdringliche Stunden, bis ein schwacher Lichtschimmer sich anschickte, in den Unterschlupf einzudringen.

Unten er, der auf dem Rücken liegend die Ladung des Gewehrs überprüfte, und oben die Katze, in einem unermüdlichen Auf und Ab, das immer kürzer und ungeduldiger wurde.

Am Licht schätzte er, daß es fast Mittag war, als er hörte, daß das Tier hinunterstieg. Wachsam wartete er auf die neuen Bewegungen, bis ein seitliches Geräusch ihm anzeigte, daß die Katze zwischen den Steinen scharrte, auf denen das Boot lag.

Sie hatte beschlossen, in sein Versteck einzudringen, da er die Herausforderung nicht annahm.

Auf dem Rücken liegend rutschte er zurück zum anderen Ende des Kanus, gerade rechtzeitig, um der auftauchenden Pranke auszuweichen, die blindlings um sich schlug.

Das Gewehr an die Brust gedrückt, hob er den Kopf und schoß.

Er sah, wie das Blut aus der Pfote der Katze quoll, und gleichzeitig sagte ihm ein starker Schmerz im rechten Fuß, daß er den Winkel seiner Beine schlecht eingeschätzt hatte und mehrere Schrotkugeln in seinen Fußrücken gedrungen waren.

Sie waren sich ebenbürtig. Beide verwundet.

Er hörte, wie sie sich entfernte, und mit Hilfe der Machete

hob er das Kanu etwas an, gerade so weit, daß er sie sehen konnte, wie sie sich die verwundete Pfote leckte, etwa hundert Meter entfernt.

Dann lud er das Gewehr wieder und drehte mit einer entschlossenen Bewegung das Kanu um.

Als er sich aufrichtete, verursachte die Wunde einen heftigen Schmerz. Überrascht streckte sich die Katze auf den Steinen aus und berechnete den Angriff.

»Hier bin ich. Machen wir endlich Schluß mit diesem verdammten Spiel.«

Er hörte sich mit einer unbekannten Stimme schreien, ohne genau zu wissen, ob er es auf Shuara oder auf Spanisch getan hatte, und sah sie wie einen gefleckten Pfeil den Strand entlang rennen, ohne auf die verletzte Pfote zu achten.

Der Alte kniete sich hin, und als die Katze etwa fünf Meter von ihm entfernt war, setzte sie zum überwältigenden Sprung an und zeigte dabei Krallen und Zähne.

Eine unbekannte Macht zwang ihn zu warten, bis die Katze den höchsten Punkt ihres Sprungs erreicht hatte. Dann drückte er ab, und das Tier blieb in der Luft stehen, bog den Körper zur Seite und fiel schwer zu Boden, die Brust von der doppelten Schrotladung aufgerissen.

Antonio José Bolívar Proaño richtete sich langsam auf. Er ging zu dem toten Tier und schauderte, als er sah, daß die doppelte Ladung es zerrissen hatte. Die Brust war eine einzige riesige Wunde, und am Rücken kamen Reste des Darms und der zerfetzten Lungen zum Vorschein.

Es war größer, als er auf den ersten Blick geschätzt hatte. Selbst abgemagert war es noch ein großartiges, herrliches Tier, ein solches Meisterwerk an Stattlichkeit, wie man es sich nicht einmal in Gedanken vorstellen konnte.

Der Alte streichelte es, ignorierte den Schmerz im verwundeten Fuß, und weinte beschämt. Er fühlte sich unwürdig, beschmutzt und keinesfalls als Sieger dieses Kampfes.

Mit tränen- und regenverschleierten Augen stieß er den Körper des Tiers zum Flußufer, und die Wasser trieben es urwaldeinwärts, zu den nie vom weißen Mann geschändeten Gebieten, zur Mündung in den Amazonas, zu den Stromschnellen, wo es von Steindolchen zerrissen werden würde, für immer in Sicherheit vor dem unwürdigen Ungeziefer.

Dann warf er wütend das Gewehr fort und sah es ruhmlos untergehen. Bestie aus Metall, bei allen Lebewesen unerwünscht.

Antonio José Bolívar Proaño nahm das künstliche Gebiß heraus, wickelte es in sein Taschentuch, und während er unaufhörlich den Gringo, der die Tragödie begonnen hatte, den Bürgermeister, die Goldsucher verfluchte, alle, die sein jungfräuliches Amazonien schändeten, schlug er mit einem einzigen Hieb der Machete einen dicken Ast ab, stützte sich darauf und machte sich auf den Weg nach El Idilio, zu seiner Hütte, zu seinen Romanen, die von Liebe sprachen, mit so schönen Worten, daß er darüber manchmal die menschliche Barbarei vergaß.